三毛 大世界

漫游锦绣中华

SANMAO DASHIJIE

少年儿童出版社

《漫游锦绣中华》

主　　　　编：李名慈

策　　　　划：侯春洋

编　　　　文：马小玲

知 识 审 定：《旅游天地》副主编

　　　　　　沈以澄

卡 通 造 型：张乐平

　　　　　　徐开云

　　　　　　刘泽岱

版 面 设 计：筱　悦

电 脑 制 作：杭州蓝蜻蜓儿童读物创作中心

　　　　　　浙江开拓广告制作有限公司

　　　　　　叶喜冰等

装 帧 设 计：陶文杰

插　　　　图：翁家澎

　　　　　　陈大元等

摄　　　　影：程　光等

我躺在病榻上得知，少年儿童出版社将编辑出版一套《三毛大世界》丛书时，顿时觉得犹如一阵春风吹进我的胸怀，精神为之一振。

张乐平爷爷是我国著名漫画家，我曾在少年儿童出版社与他同事多年。他笔下的漫画人物三毛随着《三毛流浪记》的故事，早在解放前就走进了千家万户，赢得了无数善良人们的同情和喜爱。张爷爷家至今还保存着许多人寄给"三毛"的小衣服和鞋帽。解放后，可爱的三毛又在许多漫画书中与小读者见面，成为家喻户晓的卡通明星。遗憾的是，张乐平爷爷逝世后，这一可爱的卡通明星不再在新的作品中出现，随着岁月流逝，渐渐失去了往日的光辉。如今，一个崭新的三毛又在《三毛大世界》中与小读者重逢，这是张爷爷的家属和少年儿童出版社共同做成的一件大好事。

在《三毛大世界》中，活泼可爱的三毛有了两个新伙伴——聪明的红鹦鹉和幽默的俏皮狗，他们通过一个个生动有趣、知识丰富的故事，向小读者展现精彩缤纷的大千世界，一改百科类书籍的严肃面孔，小读者可以学到许多有益的知识，从而增强爱国主义情操。

尤其值得一提的是，为了编好这套《三毛大世界》，少年儿童出版社的编辑们进行了精心的策划和精心的编排。他们聘请专家撰稿，文字编写得生动风趣；又请专家对书中的科学知识内容进行审定，使其准确、严谨，具有科学性。这套丛书的照片和插图也很精美，而且运用电脑进行桌面拼版，将高科技制作与艺术设计融为一体，出版质量上了一个新的台阶。

江泽民总书记多次号召我国文艺工作者为少年儿童提供丰富的精神食粮，《三毛大世界》正是以这一宗旨编辑出版的，它已被国家新闻出版署列入重点书目。我衷心祝愿它能成为少年儿童开卷有益的良师，陶冶少年儿童的品德情操，增长少年儿童的科学知识。我更祝愿三毛能成为小朋友们喜爱的好朋友。

陈伯吹

目 录

三毛对你说

亲爱的小朋友,你们认识我吗?

我生于解放前。那时,张乐平爷爷把我的经历编成故事,画进《三毛流浪记》和《三毛从军记》里。解放后,张乐平爷爷又把我的成长过程画入《三毛在迎接解放的日子里》、《三毛学科学》等漫画书中,使我成为小朋友们顶顶喜欢的卡通明星。

张乐平爷爷逝世后,我悲痛极了,天天把自己关在家里,再也没在新的漫画书中露面,使得小朋友们对我陌生了。一些小朋友迷上了美国的米老鼠、日本的奥特曼,而把我这个老朋友给忘了。想到这一点,我就感到非常不安。

眼看21世纪即将来临,为了学好科学知识,树立起热爱祖国的崇高情操,使自己成为新世纪的栋梁之材,我特地去漫游了锦绣中华和科学天地,真是获益匪浅!

少年儿童出版社的叔叔阿姨打算把我的漫游经历告诉小朋友们,这一想法得到了张乐平爷爷的妻子冯雏音女士和她的子女们的支持。于是,我欣喜若狂地又在这套《三毛大世界》丛书中和小朋友们重逢了!

这一次,我是和我的新朋友俏皮狗、红鹦鹉一起去漫游的。俏皮狗是一只十分淘气,又会说话的狗。狗说人话,不是太滑稽了吗?其实,漫画书里的各种动物都是会说话的,这一点也不稀奇。稀奇的倒是那只红鹦鹉,它不但会说话,而且无事不知无事不晓,还会放映录像,变化身体,穿越时间隧道……简直是神通广大。

嘘!让我来告诉你一个秘密吧,红鹦鹉不是一只平平常常的鸟,它是一只模仿鹦鹉而制成的智能型微电脑。

现在你明白了吧,有这么两位好朋友陪我一起去漫游天下,学知识,学本领,可有劲啦!至于你想知道我们去了哪些奇妙的地方,遇到了什么有趣的事情,你看下去就知道了。

（一）中北部地区

锦绣首都北京

红鹦鹉的羽毛突然放出五彩光辉，身子倏（shū）然变大了。它让三毛和俏皮狗骑到背上，展翅飞上蓝天。只听耳边风声呼呼，吓得俏皮狗不敢睁开双眼。

不一会儿，红鹦鹉就落下地，停在北京天安门广场上。红鹦鹉对三毛说："我们一起去漫游锦绣中华，就从首都北京开始吧。"

天安门广场正在举行升旗仪式。当解放军叔叔升旗时，三毛望着在雄壮的国歌声中冉冉升起的五星红旗，胸中激情澎湃。要不是新中国的成立，三毛肯定还在到处流浪呢。

中华人民共和国万岁　世界人民大团结万岁

1949年10月1日，这里曾举行开国大典，升起了第一面五星红旗。

这两根汉白玉柱叫华表，可大有来历哩。

华表的来历

远古时，舜当选为部落首领，为了向百姓征求意见，他在家门口和路边竖起木柱，既为人指路，又让人将意见写在木柱上，称作诽谤柱，又叫华表木。到了汉朝时，皇帝为了显示自己像舜一样贤明，便竖起了石头华表。从此，历代皇帝纷纷效仿，皇宫前的华表越做越考究，成为一种装饰和权威的标志。

汪汪！天安门前为什么竖两根石柱啊？

小资料

天安门广场中央耸立着人民英雄纪念碑，碑的正面是毛泽东题词"人民英雄永垂不朽"，背面是周恩来题写的碑文，碑座上有10幅汉白玉浮雕。纪念碑共用17000多块花岗岩和汉白玉砌成。

考考你

人民英雄纪念碑上的10幅浮雕是什么内容？

《考考你》答案：10幅浮雕以虎门禁烟、金田起义、武昌起义、"五四"运动、"五卅"运动、南昌起义、抗日游击战争、胜利渡长江、支援前线和欢迎人民解放军为主题。

故宫

　　故宫是被联合国列入世界文化遗产保护名录的古迹。三毛去参观故宫，他兴致勃勃地走向通往故宫的午门。红鹦鹉告诉三毛，午门有5个门洞。正中的门是皇帝出入处，别人是不准走这门的。皇后只有在嫁入宫时才能走一次；殿试考中状元、榜眼、探花的三人出宫时也能走一次。文武百官和皇亲国戚只能走东、西偏门。

　　午门左右是钟鼓楼，过去每逢皇帝主持大典时，钟鼓齐鸣，声势雄壮。走进午门，迎面是5座金水桥，正中一座是皇帝走的御路桥。过了金水桥，便是雄伟的太和殿。

你知道吗？

　　皇帝的宝座上方有个藻井，藻井中央有条浮雕蟠龙，龙嘴里衔着一颗铜胎水银球。此球名叫轩辕球，挂在宝座上方是为了显示皇帝是轩辕氏的子孙，是正统继承者。

太和殿为什么又叫金銮殿

　　太和殿是举行大典之处，殿内的雕龙宝座是金漆的；柱子是沥粉金漆的；地上的方砖能敲出金石之声，称为金砖，因此太和殿被称为金銮(luán)宝殿。

> 汪汪！我偏从中间桥上过，当一回狗皇帝。

> 这叫藻井，其中还有个名堂哩。

> 咦，屋顶上有个漂亮的井，中间还有条龙呢！

乾清宫

　　三毛参观了太和殿、中和殿、保和殿后，来到内宫的乾清宫。

　　乾清宫是明朝皇帝的寝宫。1542年，这里曾发生过震撼宫廷的大案。

　　一天凌晨，嘉靖皇帝还在熟睡时，16名备受欺凌的宫女决定把荒淫无度的嘉靖勒死，但因误将绳套拴成死结，未能将嘉靖勒死。事后，这些宫女全被处死。

　　1644年，李自成起义军攻入北京后，崇祯皇帝就是从乾清宫出逃，吊死在景山的一棵树上。

　　红鹦鹉告诉三毛，清朝康熙之后，历代皇帝都将放有皇位继承人名字的木匣藏在"正大光明"匾后。待皇帝死后，辅政大臣开启木匣，宣布皇位继承人。

康有为等举人拥向午门，联名递交上书。

慈禧带锦衣卫冲进光绪寝宫搜查。

珍妃被太监推入井中。

你知道吗？

中日甲午战争后，康有为等1300多名举人联名上书光绪帝，反对签订《马关条约》，掀起维新运动。光绪帝于1898年6月宣布变法维新。慈禧太后闻讯从颐和园赶回紫禁城，不但幽禁了光绪，还将支持光绪变法的谭嗣同等"戊戌六君子"杀害。珍妃被打入冷宫。

1900年，八国联军侵占北京，慈禧出逃前，命太监将珍妃推入井中淹死。后来，这井便被称为珍妃井了。

这就是著名的珍妃井，你知道它的来历吗？

考考你

你知道故宫里大约有多少间屋子？

汪汪！慈禧真坏，我恨不得咬她一口！

宫女们决定勒死嘉靖皇帝。

《考考你》答案：故宫中共有屋宇9900多间。

天坛

三毛离开故宫后，来到了天坛。

天坛建于1420年，是明清两代皇帝每年祭天和祈祷五谷丰收的地方，是我国现存最精致美丽的古建筑群，在世界上享有极高的声誉。

祈年殿高38米，由28根巨大楠木支撑。当中4根"龙井柱"各高19.2米，两个半人才能合抱，象征一年四季；中层12根柱子象征一年12个月；外层12根柱子象征12个时辰。全部28根柱子象征天上的28星宿。

天坛的鎏(liú)金宝顶下三重殿檐都用蓝色琉璃瓦铺砌，象征着蓝天。

考考你

北京除天坛外，还有哪几个坛？

汪汪！天坛的屋顶为什么是蓝色的？

哈哈，我听到狗叫声了。

《考考你》答案：北京除了天坛外，还有地坛、日坛、月坛、社稷(jì)坛和先农坛。

你知道吗？

皇穹(qióng)宇外的圆形围墙是奇妙的回音壁。回音壁内墙平整光洁，一人对墙低声说话，声音沿弧形墙多次反射传递，使站在墙另一边的人能清晰听到。古人筑墙时，巧妙地运用了物理的声学原理。

北海

走出天坛，红鹦鹉带他们去游北海。

北海已有800多年历史了，它是一座设计精巧的皇家园林。突然，三毛被一座九龙壁吸引住了。九龙壁高6.65米、长25.86米，壁两面各有九条蟠龙在波涛云海中戏珠。九龙壁形象生动，绚丽多彩，令人叹为观止。

俏皮狗，快帮我来数数，壁上共有多少条龙？

考考你

九龙壁上大大小小共有几条龙？

北海白塔

三毛租了一条小船，在北海太液池中边划船，边兴高采烈地唱起歌来。

俏皮狗突然叫了起来："汪汪！看，白塔到了！"

白塔高耸在琼华岛山顶，山南殿廊楼阁鳞次栉比，山东林木成荫，构成琼华岛富有诗情画意的园林风光。

你知道吗？

太液池在夏天是划船的好地方；冬天湖面结冰，成为天然溜冰场。

咦，石柱上那人头上为什么顶个大铜盘？

《考考你》答案：除壁两面各有9条巨龙外，在巨龙四周、壁的正脊、垂脊、瓦筒、斗拱下都有龙形，共计有635条之多。

这是铜仙承露盘，用来承接露水。古代帝王相信用天露拌药吃，可以延年益寿。

八达岭长城

长城是被联合国列入世界文化遗产保护名录的著名胜迹，非得去看看不可。第二天一早，红鹦鹉就变成一辆摩托车，带着三毛去参观长城。摩托车开得飞快，俏皮狗在车后狂奔不停，追得上气不接下气。

你知道吗?

如遇敌情，长城上的烽火台白天燃烟、夜间点火，能在数小时内将敌情远传千里。如果将长城的砖石土方筑成一道1米厚、5米高的墙，可绕地球一周。

金翅鸟的传说

相传金翅鸟为救出被困的母亲，飞到天界，排除万难盗来甘露，赎回了母亲的自由。于是，佛教便将它作为护法神，成为天龙八部中的一部，称为大鹏金翅鸟。

据说，金翅鸟展开双翅长达336万千米，平时住在喜马拉雅山上，常护侍在佛祖释迦牟尼左右。其他的佛常用金翅鸟当坐骑，骑着它去巡视人间。

云台上雕刻金翅鸟，是以它为居庸关的守护神。

小资料

春秋时，各国为互相防御及抗击匈奴，筑起了高大城墙。秦始皇统一中国后，以此为基础，于公元前214年建成万里长城。后来，明朝18次大规模修建长城，全长6700多千米，形成现在的长城。

居庸关

三毛来到八达岭长城的重要关口居庸关，这里自古有"绝险"之称。

居庸关中的云台，用白色大理石砌成，高9.5米，券(xuàn)门及门洞内雕有金翅鸟、大象、蟒蛇、四大天王等，以及用梵文、藏文、蒙文、维吾尔文、西夏文、汉文刻的佛经。

你们知道，云台上为什么要雕金翅鸟吗?

汪汪!这些雕刻真精致啊。

这些元代雕刻艺术杰作，是我国的重点保护文物哩。

登上长城后,红鹦鹉像金翅鸟一样,又驮着三毛和俏皮狗飞向周口店。红鹦鹉不久便降落在一个山洞口。

俏皮狗望着山洞,奇怪地问:"汪汪!这是什么地方啊?"

北京周口店

北京周口店的北京猿人遗址已被联合国列入世界文化遗产保护名录。

这里是北京周口店龙骨山的猿人遗址,曾住过北京猿人。

龙骨山猿人洞

1929年,我国在龙骨山洞穴里发现了距今约69万年前的早期猿人化石。两年后,著名古生物学家裴文中发现了第一个猿人头盖骨。

考古证明,北京猿人的身体结构正向现代人演变,并能制造工具和使用火。北京猿人的发现,为研究人类起源和发展提供了科学依据。1941年,北京猿人化石被美国人盗走,至今下落不明。

颐和园

三毛随红鹦鹉来到颐和园。红鹦鹉介绍说,这里曾是乾隆时建造的清漪园。该园被英法联军焚毁后,慈禧于1888年挪用海军经费3000万两白银重建,改称为颐和园。颐和园由万寿山和昆明湖组成,园林艺术构思巧妙,是举世罕见的杰作。

万寿山的传说

从前有个王老汉,每天经过此山去地主家干活。60岁生日那天,他上山种树留念,竟挖出个装满金银的瓮。老汉不贪他人之财,将瓮埋回土中。地主知道后,想占金银为己有,去偷挖瓮,谁知瓮中飞出无数蛇蝎蜈蚣,将他咬死。从此,这山称为瓮山,乾隆时才改称万寿山。

你们听说过万寿山的传说吗?

汪汪!一定又有好听的故事了。

考考你

昆明湖上有座长150米的十七孔桥,它为什么要造十七个桥孔呢?

《考考你》答案:古代认为"九"是阳数之极,十七孔桥从中间向两边数去,每边都是九孔,既对称,又表示是至高无上的皇家之桥。

乐寿堂

三毛他们沿着长廊来到慈禧居住过的乐寿堂,正门外的石雕栏码头是慈禧乘船来颐和园时的下船之处。俏皮狗一进正门,看到一块巨大的怪石,情不自禁地惊叫起来。

> 这块怪石一定也有名堂吧?

> 对,这里还有个故事哩。

佛香阁

三毛登上建在万寿山前山的佛香阁,它气势宏伟,是全园的中心建筑及颐和园的标志。佛香阁西侧有座重207吨的铜铸宝云阁,号称"金殿",是世间珍品。当年英法联军无法烧毁它,就抢走了殿内所有陈设。

长廊

下山后,三毛去游览湖畔长廊。长廊长728米,像一根彩带将山水连成一体, 是中国园林建筑中最长的廊道,廊内梁枋上绘有8000多幅彩画,又称画廊。

> 《考考你》答案:有三个作用:1.装饰;2.防腐;3.划分建筑的等级。

青芝岫的故事

明朝官僚米万山在房山见到这块长8米、宽2米、高4米的怪石后,雇用百名壮汉和40匹马,想将它运回家。当他花了九牛二虎之力将石头拉出山后,钱也用完了,只得忍痛将它扔在路旁。此石便被称为"败家石"。

清朝时,乾隆路过此地,发现了这块石头,将它运到清漪园,改名青芝岫(xiù)。

> 败家石这名字太难听,就叫青芝岫吧。

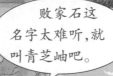

考考你

中国古建筑上常有漂亮的彩画。请问,这些彩画起什么作用?

> 让我来考考你们。

文思光被

明十三陵

三毛尽兴游览，竟忘了时间，在俏皮狗催促下，他才离开颐和园，乘旅游车来到了天寿山麓的明十三陵。因为这里有明朝13个皇帝的陵墓，所以得名。

你知道这些巨大的石雕是怎样运到这里来的吗？

这些石雕像真高大啊！

你知道吗？

陵园神道两侧立着18对巨大的石人石兽，都是用整块石料雕成，无法用人抬车载运输。古人利用冬天在路上泼水成冰，将石像放在冰道上拖运至此。

长陵是十三陵中最早最大的陵墓。陵内宏伟的楠木大殿，是中国绝无仅有的建筑。

哇，金冠是用金丝编制的，冠顶还盘着一对金龙哩。

汪汪！凤冠上镶着100多块宝石和5000多颗珍珠呢！

小资料

1956年夏，考古队挖掘出定陵的地下宫殿。

宫殿距地面27米，中殿有3个汉白玉宝座，宝座前各设青花龙纹大瓷缸一口，内装香油，称为长明灯。后殿放着明神宗和两个皇后的棺椁，及26只陪葬箱子。

地下宫殿出土了3000多件随葬品，其中有金冠、凤冠、金壶、金爵等极其珍贵的文物，如今都陈列在定陵博物馆内。

卢沟桥

旅游车载着三毛他们离开十三陵，又来到了卢沟桥。

红鹦鹉说，卢沟桥两侧石雕护栏间的208根望柱上，雕刻着神态各异、栩栩如生的石狮子。卢沟桥以精湛的雕刻艺术著称于世。

> 瞧，这根望柱上雕着两只狮子呢！

> 汪汪！这些石狮子真可爱。

考考你
卢沟桥上共有多少只石狮子？

卢沟桥的故事

1937年7月7日，日军向卢沟桥进攻，爆发了震惊中外的卢沟桥事变。中国守军仅一个排，殊死抵抗，全部壮烈牺牲。于是，中国军队组织了一支准备为国献身的大刀队冲上卢沟桥，以一当十地与日军展开激烈的白刃战。不久，中国援军赶到，全歼日军，夺回了卢沟桥。抗日战争从此揭开了序幕。

> 真是可歌可泣啊！

> 别急，吃烤鸭该将鸭皮鸭肉蘸上甜面酱，加葱白或黄瓜条，用荷叶饼卷着吃。

北京烤鸭

游览了卢沟桥回到北京城里，俏皮狗直叫肚子饿，三毛便带它去"全聚德"吃烤鸭。

北京烤鸭原是宫廷御膳，200多年前传入民间。烤鸭皮脆肉嫩、色艳味香、油而不腻，被誉为"天下第一味"，名扬四海。

你知道吗？

烤鸭用北京填鸭制成。填鸭喂食时，将进料管塞进鸭嘴，把配好的饲料塞入鸭食道中。如此填食可使鸭胸发达，肌肉丰满，每只体重达3千克左右。

《考考你》答案：卢沟桥上共有485只石狮子。

"紫塞明珠"承德

红鹦鹉将橡皮囊放到嘴边，吹进高压热气制成热气球。三毛他们乘热气球飞上天，飘到了被誉为"紫塞明珠"的承德市，中国最大的帝王宫苑"避暑山庄"就坐落在此。红鹦鹉说，避暑山庄既是皇家避暑胜地，又是清朝的第二个政治中心。它和周围的外八庙已被联合国列入世界文化遗产保护名录。

真的？我们快去游览避暑山庄吧！

承德的避暑山庄比北京颐和园还要大一倍哩。

避暑山庄

三毛兴冲冲地走进避暑山庄的丽正门，信步来到内午门前，抬头看到门上那块康熙题写的匾，忍不住问道："皇帝为什么在这里建避暑山庄？"

陛下神箭！

这要从清朝康熙说起了。

你知道吗？

当年，康熙为团结北方少数民族，设立木兰围场。围猎时，随从身披鹿皮、头顶假鹿头，吹木哨模仿雄鹿叫，引来雌鹿供康熙和应邀来的蒙古王公射猎。为方便行猎，康熙选定在此建行宫，避暑山庄由此而来。

山庄分为宫殿区和苑景区两部分。三毛参观了宫殿区的楠木殿、烟波致爽殿之后，又游览了苑景区的塞湖。湖中的几个小岛以桥、堤相连，别有天地。

小资料

第二次鸦片战争时，咸丰和慈禧逃到避暑山庄。咸丰死后，慈禧秘不发丧，在烟波致爽殿策划了"祺祥政变"，从此统治了中国达半个世纪之久。

> 这是仿照镇江金山寺造的金山亭，避暑山庄里有许多仿江南名胜的建筑，如烟雨楼、狮子林、六和塔等。

外八庙

三毛他们接着又去参观了外八庙，那是8座寺院的总称，各座庙呈现出各民族的建筑风格，是民族统一的象征。当他们来到须弥福寿之庙，俏皮狗眼尖，发现庙顶有8条金龙。

金龙的故事

相传建庙时，工匠因没铸成金龙，乾隆要杀工匠。老金匠为救大家，牺牲女儿祭炉，才铸成9条金龙。乾隆设宴庆贺，老金匠却在哭女儿，金龙竟也流起泪来。乾隆大怒，要斩老金匠。大金龙突然飞下地，驮起老金匠腾云而去。从此，庙顶只剩8条小金龙了。

> 按理庙顶该是九龙盘顶，这里少了一条，还有个故事哩。

山海一览秦皇岛

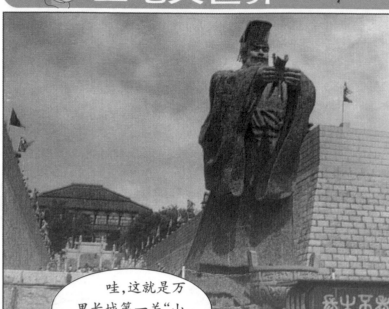

三毛他们乘热气球飞离承德，来到北依燕山、南临渤海的秦皇岛地区。相传秦始皇派人去寻找长生不老的仙药，就是从这里出海的。秦皇岛因而得名。

热气球降落在秦皇岛市北面的山海关。

哇，这就是万里长城第一关"山海关"啊！

那匾上的每个字高1.6米，你知道是谁写的吗？

如此大字，无人能写，只得来请先生写匾了。

萧显写匾

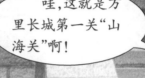

1. 山海关兵部主事请萧显为城楼写匾。

2. 萧显答应后，整天看帖吟诗，两个月未写一字。

3. 兵部主事十分着急，前去探看动静，只见萧显肩扛扁担，对着墙不知在比划什么。

皇上下旨，三日挂匾，这可如何是好？

4. 不久，圣旨到。

5. 萧显从容地走上城楼，肩扛长柄大笔一阵疾书，5个大字顿时呈现匾上。

6. 兵部主事这才明白他看帖吟诗舞扁担的苦心。

字字浑厚刚健，功底非凡啊！

> 我知道孟姜女的故事。

老龙头

从山海关往东,三毛来到长城的起点老龙头,它一直伸入渤海中。红鹦鹉说,为抗海涛冲击,当年工匠将许多铁锅铺在沙滩上,再在锅上筑起老龙头,并建造了澄海楼。

孟姜女的传说

山海关外有座孟姜女庙。

相传孟姜女的丈夫被秦始皇征来修长城,她万里寻夫至此,才知丈夫已死,痛哭不止,泪水冲塌了长城。绝望中,孟姜女投海自尽。

> 试试看,这副对联有7种不同读法呢!

你知道吗?

1900年,八国联军侵华,舰队就从老龙头登陆,由此攻入山海关。澄海楼被侵略者烧毁,现在的澄海楼是重建的。

考考你

孟姜女庙门上有副对联:"海水朝朝朝朝朝朝朝落;浮云长长长长长长长消。"你能读懂它吗?

北戴河

三毛他们沿海往南行,来到秦皇岛市西南的北戴河。这里是著名的避暑旅游胜地,金沙碧浪,自然景色千姿百态。三毛一路游览,早已风尘仆仆,便和俏皮狗一起跳进海里,游个畅快。

> 秦皇岛有山有水,名胜众多,真是人间仙境。

> 汪汪!我游得肚子都饿了。

《考考你》答案:用标点断句,换上皆音字,读作:"海水潮,朝朝潮,朝潮朝落;浮云长,常常长,常长常消。"

"牡丹之乡"洛阳

三毛搭乘农民的马车去洛阳。途中,为了解闷,红鹦鹉讲了个故事:

相传唐朝时,有一年冬天,皇后武则天突然心血来潮,下令长安御花园的百花齐放。众花畏惧她的淫威只得开花,唯独牡丹傲然不发。武则天大怒,将牡丹逐出长安,发配洛阳。

从此,每年初夏洛阳牡丹争艳,成为闻名天下的"牡丹之乡"。

你知道吗?

中国栽培牡丹已有1500多年历史,它花姿华贵,被誉为花中之王,成语"国色天香"就从它而来。洛阳于隋朝始种牡丹,如今有牡丹20多万株,180多个品种,每年4月15日举办牡丹花会。

唐三彩

三毛他们进了洛阳市,立刻被土特产商店里的众多彩陶人像、马、骆驼和器皿吸引住了。红鹦鹉说,那是仿唐三彩。唐三彩是创制于唐朝的釉(yòu)陶制品,在陶瓷史上具有重要地位。

小资料

唐三彩的"三彩"是指红、黄、绿三种釉色。其实,唐三彩并不只限于这三种颜色,也有以黄、绿、白为"三彩"的。

白马寺

随后,三毛他们去参观白马寺,它是中国最早的寺院,被尊为中国佛教祖庭,有"第一古刹"之称。俏皮狗好奇地大叫起来:"汪汪!快看,寺门口站着2匹石雕的大白马。"

寺院门口为什么立着2匹石马?

这要从白马寺的来历说起了……

白马寺的来历

东汉明帝梦见金人,大臣说是神佛。明帝就派蔡愔等人去天竺(今印度)求佛法。公元67年,蔡愔带天竺僧人回洛阳,用白马驮来佛经佛像。第二年建寺,便以"白马"命名。天竺僧人在寺内清凉台译出了第一本汉文佛经《四十二章经》。

原来佛教是这样传入中国的。

这是从洛阳出土的青铜器。

洛阳从东周起,有9个朝代在此建都,素称"九朝古都"。三毛游览了在昔日"王城"旧址上改建的王城公园和博物馆后,仿佛看到了几千年灿烂的民族文化,不禁感慨万分。随后,三毛又去参观中外闻名的龙门石窟,途经关林。

红鹦鹉介绍道:"三国时的名将关羽的坟就在关林,但坟中只埋着他的首级。"

关林

我看过《三国演义》,让我来告诉你。

关羽为什么身首异处

公元219年,关羽镇守荆州,遭到东吴军队偷袭,丢了荆州,败走麦城。他途中了埋伏,被东吴俘虏后,遭杀害。孙权怕刘备前来报复,将关羽首级送到洛阳献给曹操,想嫁祸于人。曹操识破孙权用心,将关羽首级厚葬在现在的关林。

汪汪!好奇怪啊。这里为什么只埋着关羽的脑袋呢?

石窟从公元494年开始凿刻,沿续到北宋,历时600多年哩。

龙门

从关林往南,三毛来到伊河畔的龙门。在1千米长的崖壁上,共凿有2100多个石窟,雕了10万余尊佛像,这就是中国三大石窟艺术宝库之一的龙门石窟。

考考你

中国的三大石窟是哪三座石窟？

雕刻这奉先寺大佛时，当时的皇后武则天捐献了2万贯脂粉钱哩。

汪汪！那小佛还没人的手指大呢。

奉先寺大佛

卢舍那佛，又称奉先寺大佛，是龙门石窟中最大的一尊石像，它高17.14米，头部高4米，雕工精湛，显示了盛唐雕塑艺术的高度成就。

古阳洞

看罢奉先寺大佛，三毛又来到古阳洞。古阳洞开凿于北魏时，距今已有1500年历史，是龙门石窟中开凿最早、内容丰富的一个洞窟。洞内小窟琳琅满目，精巧富丽，是研究北魏石窟艺术的珍贵资料。洞内的题记，书法质朴古拙，是研究书法史的珍品。

《考考你》答案：中国的三大石窟是洛阳龙门石窟、敦煌莫高窟、大同云冈石窟。

中原名岳嵩山

三毛和俏皮狗跟着红鹦鹉去游嵩(sōng)山。嵩山是我国五岳之一，相传中岳神住在这里，历代帝王都来此祭山神。红鹦鹉告诉三毛，少林寺塔林是我国最大的塔林。

> 你知道"五岳"吗？

> 这就是少林寺塔林。

你知道吗？

唐宋时，少林寺有1000多名僧人，寺中石磨要3匹骡子才拉得动，一天能磨500千克面粉，炒菜锅重650千克，可见当年的繁盛。

考考你

你能说出五岳是哪5座山吗？

立雪亭的来历

传说慧可为向达摩求法，在达摩亭外站了一昼夜。夜里下雪，雪深过膝，他仍立着不动。达摩见他意志坚韧，才将衣钵(bō)传给了他。

少林寺

三毛首先来到始建于1500多年前的嵩山少林寺。相传印度高僧达摩用轻功乘着一根芦苇渡过江，来到嵩山少林寺，创立了佛教中的神宗。因为修行要静坐，极易疲劳，达摩便创立名闻天下的少林拳，以练武来解困倦。

> 这座达摩亭又叫立雪亭，说来还有个故事哩。

《考考你》答案：五岳是东岳泰山、西岳华山、南岳衡山、北岳恒山、中岳嵩山。

中岳庙

离开少林寺,三毛又来到中岳庙,这里是历代皇帝参拜中岳神的地方。中岳庙依山势从低到高建有殿阁楼亭400多间,清朝乾隆年间又依照北京故宫形式重建,是中国的著名古建筑群之一。

> 铁人是"镇库将军",每尊高4米,重1.5吨。

> 汪汪!铁人也有故事吗?

铁人

三毛进中华门,过遥参亭,走入仿北京天安门而建的天中门,来到古神库前,看到那里屹立着4尊高大的铁人。

> 哇!如此大规模的寺庙建筑,全国罕见啊!

铁人的故事

传说南宋时,铁人在夜里溜出中岳庙,去投奔岳飞的抗金队伍。他们在黄河边找到一条小船准备渡河时,天色渐亮。一个铁人不放心地问:"这小船载得动我们吗?"艄公说:"当然载得动,除非你们是铁人。"他一语道破天机,4个铁人顿时立在河边不会动了。后来,铁人被人们运回中岳庙。

小资料

少林寺千佛殿内有一座3米高的铜佛像,三面墙上是大型彩色壁画,地上有一排排陷坑,那是和尚练武时踩出的脚窝。

地上有一排排陷坑。

古观星台

三毛在嵩山南麓看到一座特别的建筑物,红鹦鹉告诉他,这是中国现存最古老的观星台,是世界重要的科学遗址,在世界天文史上有很高的价值。

古观星台高12.62米哩。

汪汪!这台好高啊!

启母石的传说

相传大禹治水时,他妻子涂山氏怀着孕住在此地。大禹忙于治水,三过家门而不入,妻子等得天长日久化为巨石。大禹治好水患回来,巨石中传出婴儿哭声。突然,巨石裂开,蹦出了大禹的儿子启。夏,这个中国的第一个王朝,就是由启创建的。后人便将巨石称为启母石。

启母阙和启母石

三毛继续往前走去,忽见两根刻着弯弯曲曲怪字的石柱,好生奇怪,红鹦鹉飞过来告诉他:"这是启母阙(què),阙上的小篆(zhuàn)铭文是汉代书法精品,记叙了大禹治水时,三过家门而不入的事迹。"

快看,这里有块巨石!

这是启母石。武则天当上女皇后,还特地来石洞中坐一阵呢。

嵩阳书院

最后,三毛一行到了宋代四大书院之一的嵩阳书院,司马光、范仲淹等著名学者曾在此讲过学。书院中有两棵古柏,叫"大将军"和"二将军"。

是谁封古柏做"将军"的?

让我来告诉你。

嵩阳碑观

嵩阳书院门外屹立着一块高3丈、宽8尺、厚4尺的石碑,这块嵩山第一大碑建于1250年前的唐朝。

碑文由唐朝奸相李林甫撰(zhuàn)写,成语"口蜜腹剑"就从他而来。

将军柏的来历

当年,汉武帝来此,见一棵柏树很大,便封为"大将军"。谁知,他随后又见到更大的一棵柏树,可"大将军"已封,只得封为"二将军"。从此,"大将军"笑歪了树身,"二将军"气裂了树干。

二将军,委屈你了。

你听过唐碑戴帽的故事吗?

唐碑戴帽

相传,碑身立起后,无法将几吨重的碑帽戴上去。一个老人走来,工匠向他请教,他说:"我是土埋脖子的人了,有啥办法!"工匠顿受启发,抬来土埋到石碑顶部,再抬碑帽上土坡,戴上碑顶。

华夏文化发祥地

三毛乘帆船沿黄河逆流而上,离开河南,来到山西侯马地区。这里北起临城,南至运城,是华夏文化发祥地之一。相传远古时,后稷在此教百姓种庄稼;尧舜禹在此建都。考古工作者在此发现了旧石器时代丁村人文化遗址。此外,三国名将关羽、唐朝道教祖师吕洞宾、北宋史学家司马光的故乡都在这片土地上。

三毛上岸参观吕洞宾诞生地芮(ruì)城永乐宫。红鹦鹉说,吕洞宾死后,他的故居被改为吕公祠。后来,随着吕洞宾成为八仙之一的神话流传,金、元朝廷花了110多年将吕公祠扩建为万寿宫,建筑面积达86000多平方米。三毛一踏进宫门,就觉得规模宏大,气势不凡。

> 三清殿是永乐宫最大的殿。瞧,屋脊上的琉璃鸱(chī)尾就高3米哩。

瑰丽的壁画艺术宝库

走进三清殿,三毛的眼睛顿时瞪大了,只见四壁都是壁画,令人目不暇接。在4米多高、90多米长的巨幅壁画上,展现了天神朝拜"元始天尊"老子的情景。元朝画师们以惊人的丰富想象力,把200多位人物表现得惟妙惟肖。

> 你看,白虎星君画得虎背熊腰,多么威武;玉女则画得淑静美丽,栩栩如生。

你知道吗?

永乐宫壁画总面积达960平方米,三清殿壁画是其中的精华。永乐宫壁画是中国美术史上一颗绚丽的明珠。

中国武庙之首

由芮城往北，三毛来到关羽的故乡解（xiè）州，全国规模最大、保存最完整的关帝庙就坐落在此。三毛边参观，边兴致勃勃地给俏皮狗讲起《三国演义》的故事来。

上面雕着关羽征战疆场的事迹哩。

哇！这座石雕牌坊造得多气派，多精美啊！

考考你

结义亭坐落在结义园中，为什么结义园中要种满桃树？

刀楼里放着关羽的青龙偃月刀模型。

《考考你》答案：因为刘备、关羽、张飞是在桃园中结义的。

黄河壶口瀑布

三毛沿黄河往上游而行,经过龙门时,红鹦鹉讲了龙门的来历:传说大禹治水时,用斧劈开龙门山,使黄河东流,所以龙门又叫禹门。

三毛给俏皮狗讲"鲤鱼跳龙门"的故事:相传每年春天,鲤鱼循黄河逆流而上,到达龙门瀑布。鲤鱼拼命蹦跳,谁跳过瀑布,就能化为苍龙,腾飞上九天。

俏皮狗听了直摇脑袋:"汪汪!你看龙门,哪有瀑布啊?"

红鹦鹉说:"走,我带你去看瀑布。"

过龙门继续往上游走65千米,黄河壶口瀑布便呈现眼前。在隆隆涛声中,巨大的黄色瀑布似金龙在翻腾怒吼,激起漫天水雾。不一会儿,俏皮狗变成了黄泥狗。

原来,瀑布水雾中带有黄土尘,雾中水分蒸发,尘土落下,人人都会变成泥人。三毛笑着说:"跳进黄河洗不清,我们没下河就洗不清了!"

你知道吗?

一二百万年前,龙门确有瀑布,因河水长年侵蚀河道,使瀑布每年向上游退移3~4厘米,转移到了如今壶口处。

应县木塔

红鹦鹉驮着三毛和俏皮狗飞到应县,参观著名的木塔。

八角形的木塔建于1056年,高67.13米,塔中能容纳万人。数万名民工造塔时,用掉3500立方米木材,工程非常浩大。它是国内外现存最古老最高大的木结构塔式建筑,是世界古建筑中的珍品。

红鹦鹉告诉三毛:元朝时,当地发生7级大地震,木塔安然无恙;1926年军阀混战,木塔挨了200多发炮弹,依旧岿然不动。

考考你

看着照片中的木塔,你能说出它共有几层吗?

我来考考你们。

《考考你》答案:表面看塔是5层,但每层都设有一暗层,明五暗四,共有9层。

"空中楼阁"悬空寺

　　离开应县木塔,红鹦鹉带三毛和俏皮狗去游恒山。

　　相传舜帝巡猎到恒山,认为它是北国万山之王,封为北岳。恒山连着宁武关、雁门关、平型关等重要关隘,组成天然的"绝塞险关",自古是兵家必争之地。

　　三毛进入金龙口,只见两山对峙夹一条山谷,地势险要。红鹦鹉说:当年拓跋氏就从这里率兵入平城(今山西大同),统一北方,建立了北魏。北宋名将杨业镇守三关时,曾在此筑堡垒、架栈道。三毛听了,感想联翩,仿佛耳边响起了当年杨家将浴血鏖(áo)战的厮杀声。

　　突然,俏皮狗惊叫起来:"汪汪!悬崖峭壁上怎么挂着一片房屋?"

　　三毛定睛一看,只见一座富丽堂皇的庙宇凌空高悬,宛如仙阁胜境。那就是驰名遐迩(xiá ěr)的北岳悬空寺。

　　悬空寺已有1000多年历史,它上载危岩,下临深谷,栈道飞跨,楼阁悬空。当地民谣唱道:"悬空寺,半天高,三根马尾空中吊。"可见其险。

　　三毛小心翼翼地步步登高,从栈道进入寺院。

　　悬空寺的建筑布局十分讲究,40间殿宇楼阁上下错落,参差有致。三毛爬石梯,钻洞窟,过栈道,穿回廊,上下迂回,左右出入,仿佛进入了迷宫。悬空寺虽经千百年风雨侵袭,地震影响,迄今安然无恙,成为中外建筑史上绝无仅有的奇迹。

考考你
　　要是细长的立柱断了几根,悬空寺会不会坠入深谷之中?

小资料
　　悬空寺建在几十根飞梁上,飞梁的一头横插在凿于峭壁上的石洞里,一头横悬空中。飞梁头上支撑着细长的立柱,立柱稍向里侧倾斜。悬空寺的重量就由飞梁和立柱分担。

　　《考考你》答案:楼阁的重心紧挨悬崖,重量主要压在飞梁上,立柱只分担一小部分重量,即使抽出部分立柱,殿宇也不会倒塌。

富丽瑰奇的石雕艺术

三毛搭乘卡车离开恒山，来到历史悠久的古城大同。中国著名的三大石窟之一的云冈石窟，就坐落在大同市西北16千米处。石窟依山开凿，绵延1千米，现存53个主要洞窟中共有雕像51000余尊，是世界闻名的艺术宝库，被誉为"东方的罗马石雕"。

云冈石窟中，第五、第六窟内容最为丰富多彩，富丽瑰奇，是云冈艺术的精华。三毛在第五窟中看到了云冈石窟中最大的释迦牟尼石雕坐像，它高达17米呢。

云冈石窟是什么年代开凿的？

你知道吗？

大同曾是北魏都城，当时佛教盛行，朝廷便役使数以万计的工匠，历时30年，开凿石窟，距今已有1500多年历史了。

汪汪！它的手指比一个大人的身高还要高哩！

小资料

公元446年,太武帝听了大臣崔浩的建议,焚寺毁塔,强迫僧人还俗,佛教史称为"太武灭法"。不久,太武帝患病,怀疑是灭法遭佛惩罚,后悔不已。文成帝即位后,为追悔父亲灭法之错,下令开凿云冈石窟。

这些石雕多姿多采又独具风格,真了不起。

知道当初为什么要大规模开凿石窟吗?

花馍馍

三毛他们离开云冈,往五台山而去,半路上遇到一支迎亲队伍。俏皮狗看到嫁妆里有许多花馍馍,馋得口水直流。红鹦鹉介绍道:花馍馍是山西特产,用于婚丧、生儿育女等民俗活动和过节庆典。它既是食品,又是独特的民间手工艺品。儿女婚嫁的花馍馍又称"礼馍",捏一尊礼馍往往要用5000多克的面粉哩。

桃娃

打腰鼓

戏曲故事

佛国胜地五台山

　　五台山是中国佛教四大名山之一。上山时，三毛给俏皮狗讲起了《水浒传》中花和尚鲁智深出家到五台山，不守戒律，大闹五台山的故事。俏皮狗听了，乐得直甩尾巴。

　　五台山主峰海拔3058米，被称为"华北屋脊"。从汉朝起，这里就是文殊菩萨的道场。五台山寺庙最多时达200多座，现存58座，有"古建筑宝库"的美誉。

　　五台山是全国重点风景名胜区，为了方便旅游，红鹦鹉用电脑绘出一张五台山地图交给三毛。三毛看着地图说："我们先去参观龙泉寺，然后再去看南禅寺大佛殿吧。"

相传,北宋抗辽名将杨业战死后,他儿子五郎将他的遗骨收葬在龙泉寺。

五台山南禅寺大佛殿

菩萨顶　　　三毛沿108级石阶攀登而上,气喘吁吁地到达灵鹫峰的菩萨顶。菩萨顶建于1500年前,传说是文殊菩萨的住处。明朝时,蒙藏教徒进驻五台山,菩萨顶成了喇嘛庙之首。历史记载,康熙和乾隆几次来五台山,都住在此。

传说康熙的父亲顺治皇帝抛弃皇位,来此出家当和尚哩。

汪汪!真让人感到神秘莫测!

世界名城西安

　　三毛他们乘飞机来到西安。红鹦鹉介绍道，西安在古代称为"长安"，历史上有11个王朝在此建都，70多个皇帝在此居住。西安已有3000多年历史，它与意大利的罗马、希腊的雅典、埃及的开罗，合称为"世界四大古城"。

大雁塔被誉为古西安的象征哩。

你知道李白赋诗沉香亭的故事吗？

你知道吗？

　　公元645年，高僧玄奘(zàng)从印度回国，在慈恩寺翻译梵文佛经。7年后，玄奘请唐高宗建造大雁塔，用来存放经卷。建筑时，玄奘亲自搬运砖石，造成5层塔。武则天当政时，将塔加到10层，后被战火破坏，余下7层。现在的塔高64米，是全国重点保护文物。

兴庆宫

　　红鹦鹉带三毛去游览兴庆宫公园。这里曾是唐朝宫殿，唐玄宗和杨贵妃长期居住在此，留下了许多浪漫的传说。园内的沉香亭全部用沉香木建造，唐玄宗常和杨贵妃在此共赏牡丹。

李白赋诗沉香亭

有一年,牡丹盛开,唐玄宗和杨贵妃乘月夜来到沉香亭,令梨园弟子表演歌舞。乐师李龟年刚要唱,唐玄宗说:"赏名花,对妃子,哪能唱旧词?"便派人找来诗人李白。当时李白酒还没醒,挥笔就写,顷刻间写出了著名诗篇《清平调辞·沉香亭应制》。

你知道吗,小雁塔曾有过神奇的经历哩。

小雁塔

西安除了大雁塔外,还有座塔形精美秀丽的小雁塔。这是唐高宗死后,为他"献福"而造的。

小资料

明朝,长安地震,小雁塔从塔顶到塔底裂开一条1尺宽的裂缝。后来再次地震,裂缝竟合拢了。小雁塔共经历6次地震,3次裂开又合拢,塔却不倒,真是神奇。

"世界第八大奇迹"

三毛驾着摩托车来到临潼县秦始皇陵。陵墓长515米,宽485米,高55.05米,犹如巨大金字塔。红鹦鹉用电脑查询历史记载:公元前246年,秦始皇13岁登基,后来由丞相李斯设计,动用70多万人,施工11年建成陵墓。

秦始皇陵是世界上最大的陵墓,它显示出"千古一帝"的宏大气魄。

哇,秦始皇死了还要庞大的军队守卫他。

共有7000多个兵马俑和战车,分为步兵、骑兵和车兵呢。

这是身穿铠(kǎi)甲的弓箭手,正准备射箭哩。

1974年春,农民在皇陵东侧掘井时挖出彩色陶片,报告了文管局。不久,考古工作者在此发现3个大型兵马俑坑,被誉为"世界第八大奇迹",它是20世纪最壮观的考古发现,同时已被联合国列入世界文化遗产保护名录。三毛兴高采烈地来到秦始皇陵兵马俑博物馆参观。

汪汪!这是骑兵吧。

考考你
你能说出世界七大奇迹的名称吗?

红鹦鹉取出一张照片递给三毛，说："与陶俑同时出土的，还有许多青铜剑、铜刀、铜矛、弩、箭等实战兵器和两组金碧辉煌的铜车马。其中一辆铜车马，如今陈列在陕西历史博物馆中。"

《考考你》答案：世界七大奇迹是：埃及金字塔、古巴比伦空中花园、希腊阿台密斯神殿、奥林匹亚宙斯神像、泰姬陵、罗得岛太阳神巨像、亚历山大城灯塔。

你知道吗？

《史记》中说，秦始皇陵的地宫中，建有宫殿楼阁，放满奇珍异宝，并灌以水银象征江河大海川流不息，墓顶用明珠作为日月，上具天文，下具地理。

骊山风景名胜区

1936年，张学良和杨虎城将军在此发动了著名的"西安事变"。

我能背诵白居易的《长恨歌》：……春寒赐浴华清池，温泉水滑洗凝脂……

烽火戏诸侯

三毛来到骊山烽火台遗址，给俏皮狗讲起了"烽火戏诸侯"的故事：

周幽王的宠妃褒姒(bāo sì)从来不笑。为博美人一笑，幽王带她到烽火台，点燃烽火。各路诸侯以为敌人来犯，纷纷率兵赶来。褒姒见诸侯上当，忍不住笑了。后来，敌人真的入侵时，幽王点起烽火求援，诸侯以为又是戏弄人，谁也不来了。

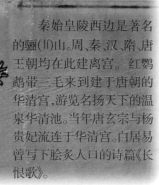

秦始皇陵西边是著名的骊(lí)山。周、秦、汉、隋、唐王朝均在此建离宫。红鹦鹉带三毛来到建于唐朝的华清宫，游览名扬天下的温泉华清池。当年唐玄宗与杨贵妃流连于华清宫。白居易曾写下脍炙人口的诗篇《长恨歌》。

遥远的祖先

离开骊山，三毛来到黄河流域规模最大、保存最完整的原始社会母系氏族村落的半坡遗址。它对研究原始社会历史有重要科学价值。三毛走进半坡遗址，迎面飘来阵阵美妙的乐曲声。

看，身穿原始服饰的青年在吹奏陶埙(xūn)欢迎我们。

接着，红鹦鹉带三毛来到蓝田县公王岭。俏皮狗不解地问："汪汪！到这里来看什么啊？"原来，这里是名扬世界的"蓝田猿人"遗址。

这就是6000年前的半坡村原始人画的岩画。

60年代，考古工作者在这里挖掘出了"蓝田猿人"头盖骨。

小资料

蓝田猿人生活在距今约98~100万年时，比北京猿人还早30万年。它的脑量为778毫升，低于北京猿人的850毫升，与印度尼西亚的爪哇猿人相同。蓝田猿人的发现，扩大了猿人地理分布范围，具有重要科学意义。

"民族圣地"黄帝陵

随后,三毛来到黄帝陵。史传中华民族的始祖轩辕黄帝生于山东寿丘,死后葬在陕西黄陵县桥山。陵前有座祭亭,亭内石碑上题着"黄帝陵"三字。

考考你

你知道"华夏"这名称是怎么来的吗?

"舍利"是什么?它珍藏在哪里?

> 祭亭后有块"桥山龙驭"碑,碑后便是黄帝陵墓。

黄帝的功绩

原始社会时,黄河流域有许多部落。后来,黄帝部落战胜炎帝部落,成为部落联盟首领。他团结了羌(qiāng)、夷、戎、狄、苗人等,建立了华夏族。

相传,黄帝带领臣民开发黄河中下游,并发明了舟车、弓箭,还造字、编历法、制乐器、制药,黄帝妻子嫘(léi)祖教臣民种桑、养蚕、缝衣服,创造了中华原始文明。

你知道吗?

黄帝姓公孙,名轩辕,号有熊。黄帝是后人对他的尊称,"黄"代表土地,象征农业。

> 这棵古柏高19米多,相传是黄帝亲手种植,为全国"柏树之王"。

法门寺

红鹦鹉变大身体,背着三毛和俏皮狗向西飞去,来到扶风县的法门寺。

> 唐朝皇帝曾8次来此迎奉舍利,每次赠送大量珍宝,都藏在地宫中了。

> 为什么法门寺藏有这么多珍宝?

罕见的地宫宝藏

法门寺有座13层宝塔,年久失修,塔身半壁倒塌。1987年重修时,塔基下发现了地宫,藏珍宝之多令人目眩。水银池中小船上的八重宝匣里,珍藏着释迦牟尼指骨一节,是世界上现仅存的佛指舍利。地宫中还有唐代宫廷器具、珠玉宝石及丝织品400多件,举世罕见。

《考考你》答案:华夏族定居在华山之周,夏水之旁,故而得名。

释迦牟尼的遗骨称为"舍利",被分成8.4万份,藏在全世界的8.4万座佛塔里。

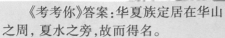

"天下奇险"华山

素闻华山天下险，三毛不顾俏皮狗反对，来游华山。"自古华山一条路"，它三面都是悬崖峭壁，只有北侧有险道通向峰顶。

你知道吗？

远望山峰犹如莲花，古代"花"、"华"两字通用，所以称为华山。

华山的传说

从玉泉院出发，登上崎岖十八盘，三毛来到青柯坪。红鹦鹉讲起华山的传说：

相传华山与黄河对岸的中条山原是一座山。有一年洪水暴发，黄河被山挡住去路，泛滥成灾。河神巨人便脚蹬手扳将山分为两半，使黄河畅流而去。南半山成为华山，据说，在东峰峭壁和西峰岭脊上还留着巨人掌迹与脚印哩。

其实，华山是由地下岩浆冷却后上升到地面而形成的。

从千尺幢到云台峰

三毛从千尺幢往上攀登。千尺幢斜依崖壁凿石264级，垂直高差达30多米，犹如天梯。石阶尽头有个铁盖，盖上铁盖就堵死了上山路，不愧是"一夫当关，万夫莫开"。上了千尺幢，出百尺峡，过仙人桥，便到了"老君犁沟"。相传太上老君用青牛一夜间在陡壁上犁出小路。走完500多级石阶小路，三毛登上了云台峰。

华山北峰四面悬崖绝壁，像座平台，因而又叫云台峰。

苍龙岭

由云台峰南行,三毛紧贴崖壁走过擦耳岭,从云海翻腾的阎王碥(biǎn)来到苍龙岭。苍龙岭长1500米,两侧是悬崖,岭脊宽1米多,狭窄光滑,令人心寒。

> 过了长空栈道,就到朝阳峰了。

你知道吗?

相传,唐朝文学家韩愈曾登上华山,下山时,在万丈深渊的苍龙岭前吓得心惊肉跳,以为难以生还,提笔写了遗书投下山。后来,华阴知县派人把他抬下山。

小资料

相传宋太祖赵匡胤(yìn)和隐士陈抟(tuán)在华山下棋,太祖输了,答应免去华山百姓交粮纳税。朝阳峰从此留下了"下棋台"胜迹。

下棋台

莲花峰

三毛过苍龙岭,往西来到莲花峰,红鹦鹉讲起故事来:

传说玉帝的女儿三圣母在华山爱上穷书生刘彦昌,生下了儿子小沉香。二郎神知道后,盗走三圣母的宝莲神灯,将她压在莲花峰的巨石之下。16年后,小沉香来此寻母,在百兽帮助下夺回宝莲灯,战胜二郎神,劈开巨石救出了母亲。如今,这里还有一块"斧劈石"哩。

"天下雄关"嘉峪关

嘉峪关是长城的西端终点。它背靠祁连山,面对戈壁滩,气势磅礴,有"天下雄关"之称。红鹦鹉查询电脑得知,嘉峪关关城周长733.3米,东西各有一座高17米的关楼,坚固雄伟。

我给你们讲个建造嘉峪关的传说吧。

汪汪!太好了。

世界艺术圣地敦煌

三毛出嘉峪关,沿古丝绸之路西行,来到敦煌,参观莫高窟。

莫高窟又叫千佛洞,保存了从十六国到元代长达1000多年的古代珍贵的佛教艺术品,共有洞窟492个,壁画45000多平方米,彩塑2000多座。这些壁画和彩塑技艺造诣之深,想象力之丰富,都是惊人的。它是世界现存佛教艺术最伟大的宝库。

你知道吗?

莫高窟是世界上规模最大、内容最丰富的画廊。如把莫高窟的壁画连接起来,长达25千米。壁画不仅体现了中国民族风格,而且吸取了印度、希腊、伊朗等国古代艺术之长,堪称东西方艺术的结晶。

古代工匠的聪明才智真让人敬佩啊!

这幅壁画叫"夜半逾(yú)城",描绘释迦牟尼离家出城,进山去修行的情景。

最后一砖

传说明朝建关时,监造官刁难工程主管,要他预算用材必须精确无误。在工匠的帮助下,主管进行了精确计算。结果竣工时,所备砖瓦木料恰恰用完,只剩一块城砖,称为"最后一砖"。现在这块砖仍放在西瓮城门的门楼檐台上。

多彩的图画世界

壁画展示了多彩的古代画卷,既有佛经故事,也有古人打猎、舂(chōng)米、织布、造屋等富有浓郁生活气息的画面。

三毛看过的动画片《九色鹿》,就出自敦煌壁画。红鹦鹉带着三毛和俏皮狗边欣赏壁画,边讲解着壁画中的故事。

这幅壁画描绘了丝绸之路上的驼队和马帮。

东方的微笑

莫高窟彩塑的人物形体匀称和谐，表情生动细腻，使三毛为古代艺术匠师的高超艺术造诣而叹服。红鹦鹉指着一尊佛像说："瞧，佛像眉目开朗，嘴角上翘，露出会心的微笑，被誉为东方的'蒙娜丽莎'。其实，这是比蒙娜丽莎早1000多年的东方的微笑。"

瞧，古代的舞蹈多优美。

汪汪！壁画中的狩猎场面多精彩啊！

考考你

人们为什么将从西安经兰州、敦煌、吐鲁番或经和田、喀什，来到阿富汗、伊朗，最后到达欧洲的路线称为"丝绸之路"？

《考考你》答案：汉武帝派张骞(qiān)出使西域，将中国丝绸、漆器、钢铁，及炼钢、农耕技术传入西方。史学家称这条使东西方交流的路线为"丝绸之路"。

小资料

洞窟中除了壁画和彩塑外,还藏有大量经卷、文书,为人们研究古代政治、经济、军事、文化、艺术、宗教、科学、民族史等,提供了极其宝贵的历史资料。

三毛和俏皮狗从山顶往下滑去,沙砾发出了金鼓齐鸣的响声,吓得俏皮狗"汪汪"大叫。更有趣的是,滑下坡的沙子又会被风吹回到坡上,堪称一绝。

哇,洞窟中集建筑、绘画、雕塑艺术之大成,真是金碧辉煌啊!

神奇的鸣沙山

敦煌县城以南6千米有座高250米的沙山。天气晴朗时,它会发出丝竹管弦之声,犹如奏乐,被称为鸣沙山。

鸣沙山的传说

传说,此地是古战场。有位将军率兵出征,几万人马在这里宿营,突然狂风骤起,黄沙将全军埋没。从此,沙山内时常传出鼓角之声。

我先给你们讲个故事吧。

红鹦鹉,快告诉我,鸣沙山的神奇现象是怎么产生的?

沙山为什么会发出奇异的声响

沙粒滑动时,沙粒间空隙时大时小,空气被挤进挤出,产生振动而发声;沙丘下有潮湿沙土层,干燥沙粒的振动波传到潮湿层引起共鸣,发出声响;沙粒中含有大量石英,石英晶体受到挤压会产生电,电作用使沙粒伸缩振动,发出声音来。

"天子津渡"天津

三毛搭乘飞机,从黄土高原飞到了中国的第三大城市天津。800多年前,这里还是一个名叫直沽的村镇。红鹦鹉告诉三毛,"天津"这名称还有来历哩。

朱元璋建立明朝后,派徐达、常遇春北伐,灭亡了元朝。随后,朱元璋改元大都为北平,将第四个儿子朱棣(dì)封为北平燕王。1399年,燕王发动军事政变,从运河渡河南下,攻取南京,从明惠帝手中夺得皇位。历史上称为"靖难之役"。朱棣登基后,把他渡河之处赐名"天津",即天子经过的渡口。接着,朱棣下令筑城,才有了最早的天津城。

三毛他们参观了天后宫、玉皇阁等古迹后,来到吕祖堂。这里原是供奉吕洞宾的道观。1900年,义和团在吕祖堂设立了总坛口,义和团、红灯照的首领常在此拜坛议事,领导和指挥抗击八国联军的斗争。它是我国现存完整的义和团总坛口遗址。

京东第一山

三毛骑着自行车出天津市区,来到蓟(jì)县的盘山。盘山景色秀美,名胜众多,被誉为"京东第一山"。盘山天成寺的北面松树遍山。这里有个传说。

1. 传说康熙时,牛在此吃草,草随吃随长。一个和尚觉得奇怪,结果从草下挖出一只宝盆。

2. 他将一枚铜钱投进盆,顿时铜钱满盆。

3. 和尚外出时,怕人偷盆,将它埋在一棵树下。

4. 回来时,只见松树遍山,再也找不到宝盆了。

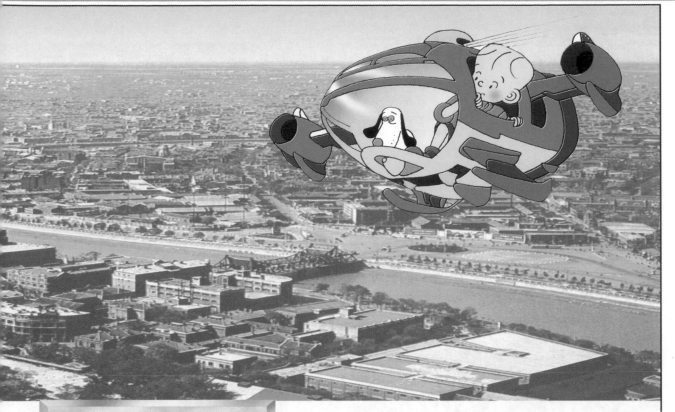

你知道吗？

盘山千像寺后有块"摇动石"，一个人推石头，它会摇晃，而几个人去推石头时，石头却岿然不动了，令人啧啧称奇。

独乐寺

下了盘山，三毛到蓟县城内参观始建于唐朝的独乐寺。寺中观音阁是中国现存最古老的木结构高层楼阁。唐山大地震时，城内房屋倒塌，观音阁梁架嘎嘎作响，阁顶晃动幅度达1~2米。但地震后，它又恢复原状，稳如泰山。

阁内观音立像高16米，头顶上有10个小佛头，所以又叫十一面观音，是中国最大的辽代泥塑珍品之一。

据说安禄山在此起兵叛唐，想要独乐而不愿与民同乐，独乐寺因此得名。

（二）东部地区

"五岳独尊"泰山

三毛早就想上泰山,今日终于如愿以偿。

红鹦鹉先带三毛参观泰山下岱(dài)庙,它是历代皇帝祭祀泰山神之处,与北京故宫、曲阜孔庙一起,被誉为中国三大宫殿建筑群。

走进岱庙,三毛发现这里建筑气势雄伟,石碑林立。石碑中,有最古老的秦朝丞相李斯的小篆碑,及东晋书圣王羲之、王献之父子和北宋苏轼、米芾(fú)、黄庭坚、蔡京四大书法家的墨迹,让人赞叹不已。最为珍贵的是,主殿天贶(kuàng)殿壁上的巨幅宋代壁画《启跸(bì)回銮图》,描绘了东岳泰山神出巡和归来的场景。

壁画长62米,高3.3米,气势磅礴,布局严谨,笔法流畅,不愧是艺术珍品啊!

从岱宗坊开始,三毛沿山路往上攀登。红鹦鹉说,到山顶共有7000多级石阶。经过"一天门"、"孔子登临处"、"天梯"三重石坊后,三毛参观了红门宫,又继续前进,来到泰山名胜斗母宫。斗母宫附近的径石峪石坪上,刻着隶书《金刚经》,每个字约50厘米见方,被誉为"大字鼻祖"。

南天门

三毛经中天门,过云气弥漫的云步桥,浏览了秦始皇避雨的"五大夫松"后,登上了险陡蜿蜒的十八盘蹬道。十八盘中间有个升仙坊,传说过此者可得道成仙。俏皮狗得意地直甩尾巴:"汪汪!我成仙狗了!"

过升仙坊,蹬道如云梯高悬,仿佛置身云端。三毛奋力攀登,终于登上了南天门。南天门是泰山的象征。李白曾写诗赞道:"天门一长啸,万里清风来。"

碧霞祠

从南天门过天街,三毛来到建于宋朝的宏大的碧霞祠。正殿的盖瓦、鸱(chī)吻、檐、铃都是铜铸的,殿内供着造型优美的元君铜像,院内还有两座巨大的铜碑,以及铜鼎、铜万岁楼,令人叹为观止。

哇!泰山看日出,景色真壮观哪!

日观峰和泰山极顶玉皇顶,都是观赏日出的绝妙之处。

丈人峰

看罢日出，红鹦鹉带三毛游览后石坞，只见一块巨石矗立，活像个伛偻（lǚ）老翁。俏皮狗惊叫道："汪汪！看，石头上刻着'天下第一山'和'丈人峰'等大字。"

> 怪不得联合国将泰山列入世界自然、文化双重遗产的保护名录。

> 汪汪！坐缆车下山啦！

> 泰山上有古建筑群20多处，历史文化遗迹2000多处。

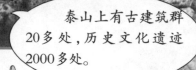

天烛峰

> 提起"丈人峰"，还有个有趣的故事哩。

天烛峰

由丈人峰往下，三毛过北天门，来到八仙洞。传说此洞是碧霞元君修炼处，洞中石床是她的卧榻。由八仙洞向东北，便是独足盘，这里的山道窄得只放得下一只脚，比十八盘更难攀登。过了独足盘，天烛峰出现在眼前，它千仞危壁耸立于悬崖上，犹如巨大的明烛直插云端，峰顶那株松树好像是摇曳的烛光，不愧为奇观。

你知道吗？

传说唐玄宗封禅泰山时，派丞相张说为封禅使。张说让女婿郑镒（yì）代劳。事后，郑镒由九品官骤升为五品。不久，唐玄宗召见官员，不认识郑镒，便问他是何时封的官。郑镒无言以答。侍臣在旁戏谑（xuè）道："此泰山之力也！"从此，人们将丈人称为"泰山"了。

历史文化胜地曲阜

曲阜(fǔ)是一座历史文化名城。传说少昊(hào)是黄帝的儿子,五帝之一,他从穷桑迁都曲阜,活了百岁,死后葬在此地。曲阜还是古代著名思想家、政治家、教育家、儒家创始人孔子的家乡。孔庙、孔府、孔林现已被联合国列入世界文化遗产保护名录。

> 棂(líng)星门是孔庙的第一道大门。

> 咦,石柱的顶端雕着"四大天王"哩。

孔庙

红鹦鹉带着三毛和俏皮狗先来到了孔庙,这是历代祭祀孔子的地方。孔庙占地约21.8万平方米,有厅堂殿庑466间,气势雄伟,建筑规模仅次于北京故宫。

十三御碑亭

三毛穿过"金声玉振"坊,从棂星门进孔庙,穿过五道门,来到十三御碑亭。十三御碑亭中保存着从唐朝到清朝的皇帝御碑,其中最大的是康熙御碑,碑身重35吨,加上碑下赑屃(bì xì)约重65吨。红鹦鹉告诉三毛,康熙和乾隆来此祭祀孔子时,也行三跪九叩的大礼。

小资料

棂星门建于明朝,"棂星"就是古代天文学上的"文星"。以"棂星"命名,表示天下文人学士集学于此。

> 错了,那不是乌龟。

考考你

你知道吗,驮石碑的是传说中的什么动物?

《考考你》答案:它是传说中龙的第九个儿子,名叫赑屃,力气特别大,所以让它驮碑。

> 汪汪!为什么用乌龟驮石碑?

大成殿

过杏坛往前,就是大成殿,它是孔庙的主殿,与故宫太和殿、岱庙天贶殿并称为东方三大殿。三毛和俏皮狗去数四周廊下环立的28根雕龙石柱上共有几条龙,数了半天也没数清楚。殿内供奉着3.35米高的孔子坐像,还陈列着演奏韶乐用的乐器。

你知道吗?

大成殿前檐的10根龙柱,每根柱子上双龙盘绕升腾,无一雷同,是石刻艺术瑰宝。乾隆来祭拜孔子时,石柱都用红绫包住,不敢让皇帝看到,恐怕因柱子上雕有象征皇帝的蛟龙而遭怪罪。

哇,这就是孔子墓啊。

孔林里还有"让梨"的孔融和《桃花扇》作者孔尚任的墓呢,他们都是孔子的后代子孙。

传说,孔子就是坐在杏坛上,弟子读书,他弹琴唱歌。

孔府和孔林

参观孔庙后,三毛来到毗邻的孔府,府内有463间楼房厅堂和9个院落,厅堂轩(xuān)敞,陈设华丽。府内藏有纹饰精美的商周宫廷青铜器和元、明、清的数以千计的文物,其中元代七梁冠为国内仅有。

至聖林

离开孔府,出曲阜城门,三毛沿着苍松翠柏夹道而立的神道向前走去,穿过气势宏伟的万古长春坊,继续向前,来到孔林,这里是孔子和他的后裔的墓地。孔林中有古树2万余株,种植了数百种植物,不愧为一座古老的植物园。

这里是历代孔子嫡裔(dí yì)衍(yǎn)圣公的官署和私邸(dǐ)。

"六朝古都"南京

三毛买来十几只气球,不料气球带着他飞上天去。俏皮狗蹿上来咬住他裤腿,也被吊上高空。三毛慌得大叫:"红鹦鹉,快来救我!"

红鹦鹉在气球上啄个小洞,气球漏了气,慢慢往下降,"砰"的一声,三毛和俏皮狗掉在一座城楼上。

> 瞧,南京长江大桥,我们到南京了!

你知道吗?

南京城墙 共长67.3千米,不仅全国第一,而且是世界第一。位居世界第二的巴黎城墙为59千米,位居全国第二的北京城墙长40千米。

> 咦,这是什么地方?

小资料

1368年,朱元璋在此建立明朝,登基称帝,才改称南京,并建筑了有13个城门的规模宏大的南京城。

> 你是在南京中华门城楼上。

"六朝古都"的来历

春秋时,越王灭吴后,范蠡(lǐ)在此筑起最初的越城。后来楚国打败越国,楚威王认为越城有"王气",会谋反,就叫士兵将黄金埋入土中镇住王气,越城改称金陵。三国时,孙权在此建都。此后,东晋,南朝的宋、齐、梁、陈相继在此建都,被称为"六朝古都"。

雨花台

中华门外有个雨花台。红鹦鹉说,几百年来,无数先烈在雨花台留下了可歌可泣的史迹。南宋抗金英雄杨邦乂(yì)宁死不降,在山下被剜心殉难。太平天国军在此与清军多次血战。辛亥革命起义军鏖战山冈,留下两座阵亡将士人马冢。解放前,革命烈士为了新中国的诞生在此慷慨就义,令人崇敬。

> 我在找南京特产的雨花石,那雨花石可漂亮了!

> 你知道雨花石是从哪里来的吗?

> 汪汪!你在找什么呀?

雨花石是从哪里来的

传说南朝云光法师在此讲经,天神听了,将天花撒落。天花落地变成雨花石。其实,二三百万年前雨花台是低洼地,河水从上游搬来大量玛瑙卵石。后来地壳运动,河滩变高岗,美丽的卵石便留在雨花台上了。

> 为有牺牲多壮志,敢叫日月换新天。

中山陵

伟大的革命家孙中山领导辛亥革命，推翻了清朝。1925年3月12日，孙中山在北平逝世，根据他的遗愿，人们在1929年春建成中山陵，并于6月1日将遗体从北平碧云寺运来南京，安葬于此。

三毛来到中山陵，只见墓室雄踞在海拔158米的山顶，气势巍然。

考考你

从墓道往上到山顶祭堂，分为几段石道，共有多少级石阶？

> ……78、79、80……俏皮狗，又说什么怪话！糟糕，我数到第几级石阶了？

> 汪汪！好高的石阶，非得跑断狗腿不可！

玄武湖

随后，三毛去游览玄武湖。湖中有梁洲、环洲、樱洲、翠洲、菱洲五座岛，岛间长堤小桥相连，风景佳丽。明朝，梁洲是贮藏全国户籍、图籍等资料处，称为黄册库。当时玄武湖是禁地，官民不准进入。

> 瞧，祭堂中孙中山雕像的石座四周刻着孙中山革命故事的浮雕。

你知道吗？

三国时，东吴在此操练水军，称为练湖。南朝时，湖中出现被尊为"玄武"的鳄鱼，改称为玄武湖。

《考考你》答案：从墓道到祭堂的平面距离为700米，10段石阶，共有392级石阶。

明孝陵

中山陵西边的明孝陵是明太祖元璋和马皇后的陵墓。明朝时陵园积极大,围墙长达22.5千米,园内松树10万株,并有5000~10000名士日夜守卫。

汪汪!可惜,现在没鹿了。

明朝时,这里养着上千头鹿,鹿颈上都挂着"盗宰者抵死"的银牌哩。

莫愁女的传说

三毛来到莫愁湖。这里原是秦淮河入江口,后来淤塞成湖。红鹦鹉讲起了莫愁女的故事:相传莫愁女原是洛阳少女,因为家贫,只得卖身葬父,被金陵商人带到南京做媳妇。由于不堪忍受公婆的虐待,她投湖自尽。莫愁女之死,激起人们公愤,为纪念她,人们将湖名改称为莫愁湖。

鸡鸣寺

最后,三毛来到鸡笼山,这里曾是皇家花园和佛教胜地。山上的鸡鸣寺是最古老的寺庙,为南朝四百八十寺之首。寺内有口胭脂井,提起这口井,还有个故事哩。

胭脂井的故事

公元589年,隋军攻入建康(南京),陈后主和两个宠妃躲进枯井。隋兵搜到井边,说要往井里扔石头,吓得陈后主大叫投降。隋兵用绳子将三人一起拉上来,妃子的胭脂口红擦到井栏上,留下胭脂痕,被后人称为"胭脂井"。其实,这里的井栏是用"南京红"大理石做成,石料红白相间而呈胭脂色。

繁华古都会扬州

　　三毛乘小汽艇沿运河来到历史文化名城扬州。他告诉俏皮狗,公元7世纪初,隋炀(yáng)帝曾乘龙舟沿运河来扬州看琼花。俏皮狗问:"汪汪!琼花很美吗?"红鹦鹉便从电脑中输出一张琼花照片给它看。

瘦西湖

　　小汽艇驶入瘦西湖,在造型优美的五亭桥畔停下。五亭桥是中国桥梁史上的独创杰作。每当中秋月夜,每个桥洞中都倒映着一个月亮,蔚为奇观。

> 扬州古琼花是聚八仙花的特异变种,举世无双。

白塔的来历

　　乾隆下江南时,来游瘦西湖,突然指着一处说:"这里很像北京北海,可惜少了座白塔。"这话传到一个盐商耳中,为讨好皇帝,他召集工匠通宵赶建,一夜间就砌起了白塔。次日,乾隆再游瘦西湖,看到白塔,龙心大悦。

> ### 考考你
> 五亭桥下共有几个桥孔?

> 哇,五亭桥与白塔相辉映,景色真美!

鉴真纪念堂

　　红鹦鹉带三毛来到大明寺,参观鉴真纪念堂。

　　鉴真和尚从公元742年起,先后十余年,历尽艰险东渡日本。他双目失明后,第6次才东渡成功,将中国佛学、医学、语文、建筑、雕塑、书法、印刷等介绍到日本,为发展中日两国的文化交流作出了重大贡献。

> 说起白塔,还有个来历哩。

《考考你》答案:五亭桥长55.3米,共有15个桥孔。

江南古城镇江

三毛乘小汽艇从运河入长江,来到江畔古城镇江。江滨有座被誉为"天下第一山"的北固山,山上的甘露寺,相传是三国时,刘备招亲之处。

你知道吗?

孙权借招亲为名,想把刘备骗来镇江杀害。诸葛亮定下锦囊妙计,使孙权母亲在甘露寺召见刘备,将女儿嫁给了他,令孙权最终"赔了夫人又折兵"。

《白蛇传》中,白娘子为向法海和尚要回丈夫许仙,曾作法掀起洪水,水漫金山哩。

"寺裹山"与"山裹寺"

红鹦鹉介绍说,镇江金山的建筑傍山而造,亭台楼阁层层相接,殿宇厅堂幢幢相衔,构成丹碧辉映、绚丽精巧的古建筑群,素有"寺裹山"之称。山中的白龙、法海、罗汉等山洞,留下了一个个迷人的神话故事;妙高台、七峰亭、留玉阁、罗伽台、慈寿台等古迹,流传着苏轼、岳飞及梁红玉擂鼓抗金的动人故事。

屹立在长江浪涛中的焦山则如中流砥柱,山上古树葱茏,定慧寺隐于丛林中,故有"山裹寺"之称。乾隆下江南时,在此设行宫。山上有米芾、陆游等唐宋以来200多位名人的摩崖石刻,被誉为"书法之山"。

水乡园林之城苏州

三毛继续沿运河南下，来到素有"东方威尼斯"之称的水乡之城苏州。苏州建于2500多年前的春秋末期，到清朝乾隆年间，已是拥有"十万灯火"的繁华大都会。

盘门原来叫做"蟠门"。

汪汪！为什么叫蟠门呢？

园内廊上有108个各种式样的别致的花窗呢。

汪汪！沧浪亭的花窗真美。

沧浪亭

红鹦鹉告诉三毛，明清两代，苏州有私家园林200多处，以典雅淡朴、小巧玲珑著称，自古就有"江南园林甲天下，苏州园林冠江南"之说，所以苏州又被誉为"园林之城"。三毛兴致勃勃地前去游览苏州最古老的园林沧浪亭。

沧浪亭造园艺术不同凡响，它无围墙，一泓清水绕园而流。园内以山为主，山水间用花墙分隔，水景山色从花窗透入，似隔非隔，妙趣无穷。

这是留园鸳鸯厅前的冠云峰，它高6.5米，重约5吨，相传是宋朝"花石纲"的遗物哩。

狮子林

三毛又来到著名园林狮子林。园中太湖石筑成的石峰像形态各异的狮子,故而得名。座座假山犹如迷宫,山洞幽深曲折,令人称奇。假山边有飞瀑亭、荷花厅、湖心亭等水中建筑,依山傍水,别具一格。

小资料

狮子林有个真趣亭。据说乾隆下江南时,游罢狮子林,挥笔题了"真有趣"三字。新科状元觉得不雅,又不能批评皇帝,灵机一动,便说道:"臣见御题笔笔铁划银钩,其中这'有'字更是龙飞凤舞,望圣上将这'有'字赐给微臣。"乾隆听懂了他的话意,点头同意,"真有趣"便成了"真趣"。

《考考你》答案:唐朝张继写下了"月落乌啼霜满天,江枫渔火对愁眠。姑苏城外寒山寺,夜半钟声到客船"的名诗,从此诗韵钟声千古传颂,使寒山寺名扬四海。

考考你

寒山寺为什么名扬四海?

拙政园与北京颐和园、承德避暑山庄、苏州留园合称为中国四大古典名园。

拙政园

建于明朝的拙政园是苏州园林的杰出代表,全园以水池为中心,亭台楼阁等建筑四周都有悠悠流水,极富自然情趣,山径水廊起伏曲折,一派水乡风貌。拙政园景色之美,堪称苏州园林之冠。

虎丘

红鹦鹉带三毛出了阊(chāng)门,到虎丘游览。

虎丘有"吴中第一名胜"之称。春秋时,吴王夫差将他父亲阖闾(hé lǘ)葬在此地后,有白虎踞山上,故称虎丘。苏东坡说:"到苏州而不游虎丘,乃憾事也。"

> 虎丘塔建于公元959年,塔高约47米,是全国重点文物保护单位。

你知道吗?

据记载,吴王夫差征调10万名民工,用大象运输,在剑池下建筑了阖闾墓,并以黄金珍宝和3000柄宝剑陪葬。据说墓造好后,夫差将上千工匠骗到一片平坦的巨石上饮酒看鹤舞,趁机将他们杀死。工匠的血染红了巨石,日久不褪,被后人称为千人石。

试剑石的传说

相传干将、莫邪夫妇铸出雌雄剑后,吴王夫差为了试剑,劈开了这块巨石。另一种传说是,秦国灭吴后,秦始皇从夫差墓中得到殉葬利剑后,以此石试剑。

云岩寺塔

三毛沿山路而上,一路观赏了断梁殿、憨(hān)憨泉、试剑石、真娘墓、千人石、二仙亭、云岩寺塔等著名的十八景。这些名胜古迹都有着引人入胜的历史传说和神话故事。

云岩寺塔又称虎丘塔,它是古苏州的象征。1956年,人们在塔内发现了秘藏千年的从五代到北宋的珍贵文物。

风光绮丽的太湖

三毛从苏州洞庭山乘帆船进入太湖。太湖是中国的第三大淡水湖。

红鹦鹉从电脑中查出,古代湖中有72座山,后因原先靠近湖岸的岛屿被泥沙淤积,变成了陆上小山或半岛,现在湖中只有48座岛了。

帆船驶过洞庭西山,这是一座石灰岩岛,著名的太湖石就出产在此。西山风光美丽,历代文人名士常来此消夏赏月。西山盛产枇杷、红橘等水果,被人誉为花果山。

帆船一路顺风驶向前。突然,站在船头的红鹦鹉叫了起来:"看,鼋(yuán)头渚到了!"

太湖风景最佳处是无锡的鼋头渚。鼋头渚是个形状像龟头的半岛,伸入太湖碧波之中。三毛站在鼋头渚眺望太湖,只见湖面风帆点点,远山隐约如画,令人心旷神怡。

离开鼋头渚,三毛又来到了蠡园。蠡园在蠡湖畔,蠡湖是太湖的一部分。相传春秋时,范蠡帮助越国灭吴后,曾与西施泛舟湖上,因此得名。蠡园三面临湖,亭廊等建筑均傍水而筑,精致纤巧,色彩和谐,不愧为江南名园。

当三毛陶醉在太湖的秀丽景色中时,俏皮狗却在一边津津有味地吃起当地特产无锡肉骨头来。红鹦鹉一边笑俏皮狗那狼吞虎咽的吃相,一边又出题来考考它。

考考你

无锡有哪些土特产?

你知道吗?

无锡的惠山以泉水著名,有惠山泉、龙眼泉等10余处清泉。惠山泉被誉为"天下第二泉"。瞎子阿炳演奏的著名二胡曲《二泉映月》,就是以惠山泉为题材。

《考考你》答案:无锡特产除酱排骨(无锡肉骨头)外,还有油面筋、惠山油酥、惠山泥人、惠泉酒、水蜜桃、太湖银鱼等。

"东方明珠"上海

三毛乘坐游艇从长江吴淞口进入黄浦江,前去游览中国最大的城市上海。俏皮狗看到黄浦江上停着许多国外的大轮船,兴奋得大叫起来。红鹦鹉告诉它,上海港是世界第三大港,每天吞吐着无数物资,一片繁荣景象。

不久,外滩展现在他们面前。三毛惊讶地发现,在外滩的众多建筑中,既有古典希腊、罗马的柱式建筑,也有哥特式的波浪曲面建筑以及新古典主义风格的建筑,难怪上海素有"万国建筑博览会"的美称。

新外滩现在已成为上海人民举办露天音乐会等大型活动的场所。

东方明珠电视塔

　　三毛站在整洁又美丽的外滩滨江大道上，向浦东放眼望去，只见流光溢彩的东方明珠广播电视塔耸立在黄浦江畔，它已成为上海的标志。红鹦鹉说："你知道东方明珠广播电视塔有几个世界第一吗？"

你知道吗？

　　塔高468米，其高度名列世界第三，亚洲第一。发射天线桅杆长118米，重450吨，居世界第一。塔内空中建筑面积总和达2万多平方米，居世界第一。采用带斜撑的巨型空间框架结构，在世界上是首次采用。3根60度斜撑每根直径7米，长92米，居世界第一。

小资料

　　黄浦江上有3座宏伟的双塔双索面斜拉桥：南浦大桥、杨浦大桥和徐浦大桥。

　　杨浦大桥总长7658米，其中主桥长1172米，主塔间跨度602米，是目前世界上跨径最大的斜拉桥。黄浦江上的斜拉索大桥已成为上海十大景观之一。

　　瞧，斜拉索大桥多像一架巨大的竖琴！

龙华寺

三毛乘公共汽车到龙华,参观龙华寺。

相传龙华寺始建于三国时,毁于唐末,公元977年重建。寺内有一尊丈余高的弥勒佛和巨大的四大金刚,以及一口1500多千克重的古钟。

龙华塔的传说

传说三国时,孙权很孝顺母亲,造此塔报母亲养育之恩。但塔在唐末被毁。公元977年的一个晚上,吴越王钱俶乘船停泊在龙华港,忽听岸上传来钟声,才知这里是古塔旧址,便命人重修了龙华塔。

> 相传孙权得到13颗舍利,就造了13座塔来安放它们。龙华塔是其中之一。

> 哇,玉佛高1.9米,是用整块白玉雕成的。

玉佛寺

离开龙华寺,三毛又来到国内名刹玉佛寺。清光绪初年,普陀山僧人慧根从缅甸迎回5尊玉佛。途经上海时,留下2尊玉佛,募款建造了玉佛寺。

城隍庙

游罢玉佛寺，俏皮狗直叫肚子饿，红鹦鹉带他们来到以小吃闻名海内外的城隍庙。俏皮狗吃得肚子溜圆，三毛边吃着五香豆、梨膏糖等上海特产，边游览九曲桥和湖心亭。红鹦鹉说，湖心亭和九曲桥原是豫园的一部分。鸦片战争后，豫园屡遭破坏。如今豫园内有三穗堂、点春堂、得月楼、万花楼、鱼乐榭等景点。

汪汪！豫园墙上盘着各种形状的龙，难怪称为龙墙。

小资料

1853年，小刀会武装起义，攻占上海县城，在点春堂设立指挥部。如今，这里陈列着小刀会用过的武器等历史文物。

方塔公园

三毛乘旅游车来到松江县的方塔公园。园内方塔建于北宋，9层塔高42.5米，塔形优美，玲珑多姿。方塔附近有座明代照壁，壁中有幅高4.75米、长6.10米的巨幅雕刻，俏皮狗看了十分惊讶。

你知道吗？

900多年前，宋徽宗搜罗天下奇石运往开封。相传运玉玲珑的船在黄浦江遭遇大风，沉入水底。后来豫园园主雇人打捞上来，放进豫园中。

"人间天堂"杭州

三毛驾驶摩托车,载着俏皮狗离开上海,来到素有"人间天堂"美称的杭州,它是中国六大古都之一。摩托车停在了美丽的西湖边。

> 西湖还有个美丽的传说呢。

西湖的传说

传说,玉龙和金凤找到一块宝石,它们用爪子抓,用嘴啄,将宝石雕成灿烂明珠。王母娘娘知道后,偷去了明珠。不久,她做寿时拿出明珠来炫耀。玉龙和金凤来讨还明珠,王母娘娘不肯。在争夺中,明珠跌落人间,变成西湖。

> 西湖真美啊!

苏堤

三毛来到苏堤。他指着这条贯穿西湖的林阴大道告诉俏皮狗,苏堤是北宋诗人苏东坡任临安刺史时,发动民工疏浚西湖,将湖中葑(fēng)泥捞上堆叠而成。

> 走在苏堤上,使我想起了杭州名菜"东坡肉",你知道它的来历吗?

你知道吗?

疏浚西湖后,农夫不再怕旱涝,获得了丰收。过年时,百姓抬猪担酒来感谢苏东坡。苏东坡收下猪肉后,将肉焖得酥酥的,送去慰问民工。人们亲切地将它称作"东坡肉"。从此,"东坡肉"代代相传,成为杭州名菜。

> 汪汪!快给我们讲讲吧。

你知道这2个字是什么意思吗?

汪汪!这可难住我了!

湖心亭

游船来到湖心亭。红鹦鹉说,乾隆皇帝游湖心亭时,湖心寺方丈请他题匾,乾隆写了"虫二"两字。众人莫名其妙,老艄公却猜破字谜,说:"我用'水天一色'对陛下的'虫二'两字。"

考考你

老艄公为什么用"水天一色"来对"虫二"两字?

三毛乘船游湖,见湖中矗立着3座石塔,塔身为球形,中间是空的。夜晚,塔中点上蜡烛,烛光倒映水面犹如一个个小月亮,因而被称为三潭印月。

汪汪!又有故事听了!

三潭印月还有个美丽的传说哩。

三潭印月的传说

从前,湖中有黑鱼精作怪。观音菩萨来到西湖,将香炉抛下云端,炉口朝下罩住黑鱼精,将它压在湖底。3只香炉脚露出湖面,变成3座石塔。

《考考你》答案:"虫二"是繁体字"风月"的中心笔画,意即"风月无边",正好与"水天一色"配成对联。

虎跑

三毛去游览大慈山的虎跑。龙井茶叶虎跑水，号称杭州"双绝"。红鹦鹉讲起了虎跑的传说：唐朝的性空大师来到大慈山定慧禅院，苦于此地无水，想要离去。忽然，跑来两只老虎，在地上刨出一泓清泉。虎跑泉因此得名。

这只是传说。泉水其实来自后山的砂岩和石英岩中。

汪汪！虎跑泉真是老虎刨出来的吗？

六和塔

钱塘江边有座六和塔。三毛告诉俏皮狗，此塔建于公元970年，塔高59.89米，外檐13层，里面是7层。它是全国重点文物保护单位。

钱塘江潮是世界上最大的江海潮！

汪汪！真是波澜壮阔哇！

你们知道古人为什么将六和塔建在钱塘江畔吗？

你知道吗？

钱塘江流入东海。每逢农历十五，海水逆江而来，八月十五至八月十八形成特大钱塘潮。古人认为塔能镇潮，便在江边建了六和塔。

岳王庙

岳王庙建于公元1221年，正殿陈列着岳飞塑像和岳飞事迹壁画，还悬挂着岳飞"还我山河"手迹。岳飞是抗金英雄，为收复失土，统一中国，他率岳家军屡败金兵。但是，奸臣秦桧却以"莫须有"的罪名将他杀害于风波亭。

小资料

岳飞墓左边是他儿子岳云的墓。跪在岳坟前的4个反剪双手的铁铸像，就是秦桧等奸臣。

> 汪汪！寺匾上为什么写的是"云林禅寺"？

> 人们痛恨害死岳飞的秦桧，便做成面人放在锅里油炸解恨，称作"油炸桧"，这就是人们爱吃的油条的来历。

> 据说康熙皇帝写错了寺名，但人们依然称它为灵隐寺。

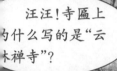

断桥

离岳王庙不远是断桥，桥头有"断桥残雪"的碑亭。三毛告诉俏皮狗，《白蛇传》中说，许仙曾和白娘子在断桥相会，成为千古美谈。

飞来峰

飞来峰由石灰岩构成，峰下有条灵隐洞，沿洞的悬岩上雕着近400尊佛像。这些石刻雕凿精细，是从五代到宋、元时期的代表作。

灵隐寺

三毛骑摩托车经过玉泉，到灵隐寺。这座著名古刹建公元326年，被誉为"东南第一寺"。寺内大雄宝殿中有一尊9.1米的释迦牟尼佛像。大殿壁有一座"慈航普渡"的"五三参"佛山雕塑，说的是善财童子参拜了53位名师，最后克服重重困难，从观音菩萨那里道的佛教故事。

> "断桥残雪"是西湖著名旧十景之一。

三毛大世界

"海天佛国"普陀山

三毛乘气垫船去东海中的普陀山。这个美丽的小岛在舟山群岛中部，是中国四大佛教名山之一，也是著名的海岛风景旅游胜地。

你知道吗？

普陀山的南山东端有两岩对峙，一石横贯，形似石门，称为"南天门"。民间传说，当年孙悟空大闹天宫，就是从这儿跃上天廷的。

普陀山是有着众多文物古迹的海岛，这在中国是绝无仅有的，因此被誉为"海上第一名山"。

紫竹院

参观紫竹院时，红鹦鹉说，公元916年，日本僧人从五台山请得观音像，归国途中在此遇风受阻，以为是观音不愿离去，就在紫竹林中建了普陀山的第一座寺庙"不肯去观音院"。从此，普陀山成为供奉观音菩萨的佛山。

哇，这里风景真美，我也不肯离去了。

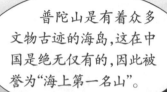

《考考你》答案：山西五台山、安徽九华山、四川峨眉山、浙江普陀山。

汪汪！我才不愿留在这里吃素当和尚呢！

朝音洞的传说

一阵雷鸣般的巨响，将俏皮狗吸引到潮音洞畔。相传唐朝时，有个印度僧人在洞口焚烧手指来礼拜观音，洞内忽放异彩，观音菩萨现身。从此，这里成为佛教徒朝拜之处。其实，观音现身只是一种光学现象。

千步沙

下了佛顶山，三毛来到千步沙海滩。长达1750米的柔软沙滩犹如金色地毯铺在碧海边，潮水飞溅似雪崩，令人心旷神怡。

> 这里是最优良的海水浴场。

> 哈！我要痛痛快快地下海畅游一番哩。

> 普济寺是普陀山上规模最大的主刹，占地11400平方米呢！

普济寺

一路上，红鹦鹉介绍说，普陀山过去曾有寺院、庵堂228个，僧尼达4000多人。其中普济、法雨、慧济三大寺规模宏大，建筑考究。说话间，他们已来到建于宋朝的普济寺。普济寺大殿两旁的神佛天王、文官武将、各种动物的拟人塑像都是观音菩萨的化身，展现了观音在"十方世界"以不同身分出现的形象。

"人间仙境"黄山

天宇独秀

黄山是著名风景区,被联合国列入世界自然、文化遗产保护名录。几百年来,游过黄山的人,无不被它的山水奇景所倾倒。明朝的徐霞客把黄山列为群山之首,发出了"黄山归来不看岳"的由衷感叹。奇松、云海、怪石、温泉这黄山"四绝"名扬天下。

三毛他们来到黄山后,首先到温泉去沐浴,洗去路途的疲劳。红鹦鹉说,相传远古时,黄帝在温泉洗过澡后,竟返老还童,头发由白变黑了。黄帝高兴万分,将温泉封为灵泉。其实,黄山原名黟(yī)山,相传黄帝曾在此修身炼丹,唐朝时才改称黄山。

哇,黄山横空出世,气势真磅礴。

唐朝大诗人李白曾赋诗赞美"黄山四千仞,三十二莲峰"!

天都峰

　　三毛在观瀑楼观看了人字瀑。瀑水来自朱砂峰与青鸾(luán)峰间的U型谷和青鸾峰与紫云峰间的榆花溪。三峰夹两溪，呈两股飞瀑左右下泻，形似人字，宛若银河倾倒，非常壮观。

　　红鹦鹉却说，黄山最雄伟壮丽的瀑布是飞悬于云谷寺旁的九龙潭瀑，它从悬崖上飞泻而下，打了9个折，犹如9条白龙凌空而舞。它一折一瀑，一顿一潭，兼有飞瀑、深潭双胜，是世间罕见的奇景。

　　可惜，三毛要去攀登"群山所都"的天都峰，无法去看九龙瀑。

　　天都峰是黄山最险峻的山峰，历来令游人望而生畏。古人曾为此写下了"何年白日骑鸾鹤，踏碎天都峰上云"的诗句。如今，一条由1564级石阶组成的3千米长的小径从下而上，犹如一架垂直的天梯悬挂在斧劈刀削般的岩壁之上。三毛他们沿着这条惊险小道艰难地攀缘而上，来到鲫鱼背前。

你知道吗？

　　据记载，第一个登上天都峰的是唐朝的岛云和尚。明朝徐霞客曾2次游黄山，登上天都峰。不过，那时还没开凿出登山石径。

　　鲫鱼背长约10余米，宽不到1米，两边是万丈深渊。俏皮狗吓得不敢往前走，三毛壮起胆，抱着它勇敢地走过了鲫鱼背。不久，三毛来到"登峰造极"石刻旁，伫立在天都峰顶。放眼远眺，万峰竞秀，使三毛真正体会到了"无限风光在险峰"的意境。

哇,人在云中游,恍然在仙境。

玉屏峰

下了天都峰,红鹦鹉带三毛去游览被誉为"天上玉屏"、"宇宙大观"的玉屏峰,它被徐霞客赞为"黄山绝胜处"。玉屏峰位于黄山中心地区,它背倚光明顶,左右是齐天而立的天都峰和莲花峰。雨过初晴,白云万顷如银涛喷雪,露出游云飞雾的山峰宛如海中岛屿。山连云,云连山,非凡奇景令三毛赞叹不绝。

它已有千年高寿,居黄山十大名松之冠呢!

迎客松在欢迎我们哩!

千年迎客松

三毛走过横跨峰间的渡仙桥,穿过两壁相夹的一线天,再经过白云荡漾的蓬莱三岛,顺螺旋梯道而上,到达文殊洞顶,迎面便见驰名中外的迎客松。

迎客松像是一位热情好客的主人,弯腰伸"手"欢迎来客。迎客松的形象,早已制成铁画,悬挂在北京人民大会堂中,作为中国人民热情好客的象征。

你知道吗?

迎客松长在海拔1600米的险峰上。科学家发现,高山植物要比平原植物长得低矮,因为山高空气稀薄,照在植物上的紫外线就多,抑制了植物生长。而险峰上土壤少,养料和水分易流失,气温也较低,对植物生长造成了影响。高山上风大,迫使植物弯腰俯伏,这就是造成迎客松弯腰曲背的原因。

这就是渡仙桥。

俏皮狗快来啊,前面就到蓬莱三岛了。

考考你
玉屏楼后面的山峰像什么?

玉屏楼

三毛来到了玉屏楼前,这里离峰顶只有36米,称得上是"天上人家"。

红鹦鹉介绍道,当年,唐朝大诗人李白曾在此夜宿,留下了"危楼高百尺,可摘星辰。不敢高声语,恐惊天上人"的诗句。

1614年,明朝普门和尚攀山到此,见这里地形与他梦见文殊菩萨端坐石台的地方相似,便建立了文殊院。1952年,文殊院毁于火灾,人们在旧址上起玉屏楼。

玉屏楼三面怪石罗列,左有狮石,右有象石,背后是"金龟望月"。这些怪石刻有历代名人题字,如"黄山第一处"、"天然仙境"等。

《考考你》答案:山峰酷似仰面而卧的睡佛。

从莲花峰到光明顶

由玉屏楼往北,告别送客松,三毛攀上黄山最高峰莲花峰。它主峰突兀,群峰簇拥,如巨大的金莲朝天怒放。峰顶中心低凹,四周隆起,就像石船。三毛站在峰顶远望,大有"顶天立地"之感。

游罢莲花峰,他们又来到黄山第二高峰光明顶。平坦的山顶是看日出观云海的最佳处。

> 汪汪!那边是仙人踩高跷吧,真有趣!

西海群峰

从光明顶往西是风景最秀丽的西海群峰。无数山峰如利剑直刺云霄,著名的有双笋峰、飞来峰等。站在峭壁间的排云亭远眺,只见仙人晒靴、仙人踩高跷、仙女绣花、老僧打钟等怪石奇观历历在目。

> 看,那就是双笋峰。

你知道吗?

相传有位智空和尚,独自在此修行15年。一天,山顶突然大放光明,太阳中涌现出五彩云霞,形成了天门。从此,人们将此峰称为光明顶。

> 看,我们又来到了光明顶。

> 汪汪!为什么称它为光明顶啊?

78

清凉台看日出

第二天一早，三毛到清凉台看日出。清凉台突出在三面临空的危岩上，当红日从瑰丽云霞中冉冉升起时，三毛激动得欢呼起来。突然，俏皮狗大叫道："汪汪！那是什么？"红鹦鹉笑了："那是黄山著名奇石'猴子观海'！"

小资料

石猴脚下云海汹涌，故取名"猴子观海"。久晴无云时，石猴面对山下太平县的田野风光，所以又叫"猴子观太平"。

你知道吗？"猴子观海"又叫"猴子观太平"。

始信峰

最后，三毛来到始信峰。相传古代有人不信黄山风景奇绝，带着怀疑态度来游山。到达此峰时，他开始相信黄山名不虚传。始信峰因此得名。峰下有一片石柱参差林立，犹如"十八罗汉"。"罗汉"高低大小不一，形态各异，形成奇观。红鹦鹉说，这片花岗岩石林是岩石沿垂直裂缝经千万年风化崩解而形成的。

梦笔生花

接着，三毛去游览散花坞。此地奇花争艳似天女散花，宛如一幅精美的油画。三毛看到笔峰挺立，峰尖长了一棵松树，如鲜花盛开，被称为"梦笔生花"。更妙的是，与笔峰相对的是笔架峰，有笔有架，天然成趣。

考考你

你知道"梦笔生花"这句成语从何而来吗？

让我来考考你。

难怪徐霞客会发出"五岳归来不看山，黄山归来不看岳"的感叹了！

汪汪！我也相信黄山美景天下绝了！

《考考你》答案：传说李白早年文笔不佳。一天夜里，他梦见毛笔开花，醒来后文采飞扬，使他成为著名诗人。成语由此而来。

"佛国仙城"九华山

红鹦鹉变成直升机,载着三毛他们从黄山飞到了九华山。九华山是四大佛教名山之一,古称陵阳山,唐朝前叫九子山。李白写了"昔在九江上,遥望九华峰,天河挂绿水,绣出九芙蓉"诗后,改称九华山。

小资料

汉朝,九华山盛行道教。公元401年,印度僧人杯渡来此建了第一座庙,即化城寺。唐朝时,新罗国(朝鲜)僧人金乔觉来此,死后被僧徒当作地藏菩萨化身,从此将九华山辟为地藏菩萨道场,佛教在九华山取代了道教。

> 化城寺有一口重1吨的古钟,"化城晚钟"是九华山十景之一。

化城寺

直升机降落在芙蓉峰下的九华街,这里是寺院、僧人集中处,被誉为"佛国仙城"。九华山的开山祖庙化城寺就坐落在九华街中心。寺依山而筑,层层升高,气宇轩昂。寺内藏有明朝的《藏经》和圣谕原件,梵文贝叶经及无瑕禅师刺血写成的《华严经》等珍贵文物。

考考你

你能说出佛教用语"圆寂"是什么意思吗?

> 金高僧99岁而圆寂,怎么还是手软骨挺,颜面如生?

> 快拜啊,他一定是菩萨化身。

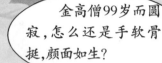

你知道吗?

九华山由花岗岩组成,在奇峰异石、飞瀑流泉和名贵花木中点缀着寺庙座座。九华山现存寺庙78座,僧尼300余人,并珍藏着1300多件佛教珍贵文物。山上还有金钱树、娃娃鱼、叮当鸟等珍稀动植物。

《考考你》答案:和尚功德圆满而死去称为"圆寂"。

百岁宫

九华山摩空岭上有一片"百岁宫"庙宇建筑群，是纪念明朝无瑕禅师而建。殿宇依山而筑，上下五层楼阁曲折相通，可容纳5000人。它东傍悬崖，西临九华峡谷，有通天拔地之势。寺内珍藏着无瑕禅师用血写的经书一卷。

百岁宫的来历

明朝，无瑕禅师从五台山来摩空岭，搭茅屋居住，取名"摘星庵"。他以野果为生，活了100余岁。临终前他坐进缸中。三年后弟子开启缸封，见无瑕的容颜还像活着时一样，便建百岁宫供奉遗体。这尊著名的肉身菩萨至今已360多年，仍保存完好，成为稀世文物。

你能给我讲讲百岁宫的来历吗？

古拜经台

九华山天台峰顶"老鹰扒壁"巨石下，有一座大寺庙，始建于唐朝，重建于清朝。

古拜经台赤柱绿瓦，结构宏伟，富有特色。相传，这里是金乔觉到九华山修行时的拜经之地。殿宇内现在尚留有地藏拜经的石刻。

这在佛教中称为"坐化"，表示和尚已达到大彻大悟的境界。

汪汪！和尚为什么要坐在缸里辞世？

(三)中南部地区

"天下奇秀"庐山

夏天,三毛上庐山去避暑。汽车沿盘山公路而上,就像驶入了绿色迷宫,白云萦(yíng)绕在山峰间,给庐山蒙上了一层神秘的面纱。红鹦鹉说:"庐山素有'匡庐奇秀甲天下'之称。"如今,庐山已被联合国列入世界自然遗产保护名录。

> 你知道庐山之名的来历吗?

你知道吗?

相传西周时,匡氏七兄弟在此搭草庐隐居。后来七兄弟羽化升仙而去,留下的草庐被称作神仙之庐。庐山之名始见于司马迁的《史记》,至今已有2000多年。

> 汪汪!我也学白鹿伴你读书,你就会成为小博士的!

五老峰

汽车停在海拔1167米的庐山中心牯岭街,这里环境优美,有"云中花园城市"的美誉。三毛在牯岭街上喝了庐山云雾茶后,兴致勃勃地去爬五老峰。

相传有一年,五位老汉在鄱阳湖边钓鱼,突然狂风骤起,江水倒灌,卷走岸上房屋。老汉立刻走入湖中,化作五座山,挡住了江水。从此,此山称为五老峰。

白鹿洞

五老峰南麓有个白鹿洞,红鹦鹉给三毛讲起了白鹿洞的传说:

唐朝学者李渤少年时在此读书。一天,从峰顶跃出一只白鹿,跑到他身边。有了神鹿伴读,李渤学习更发奋,终于金榜题名。后人便把此处称为白鹿洞。

这里原有360多间房屋，曾是古代的最高学府之一。

白鹿洞书院

白鹿洞书院是宋朝著名的四大书院之一，由著名教育家、哲学家朱熹创建。三毛走进书院的碑廊，面对着中国悠久的历史文化，心中涌起一阵无比的自豪感。

小资料

高山上的大量积雪在重力和压力下形成巨大冰块，并以每年几米到几十米的速度往下滑动，造成冰川。

已故的著名地质学家李四光伯伯，曾在庐山找到多处冰川遗迹哩。

含鄱口

三毛来到庐山东南角的含鄱口，远眺鄱阳湖。他惊讶地发现，湖中有一座像鞋子般的小岛。红鹦鹉说，那就是鞋山，传说是仙女的绣花鞋所变。据科学考察，鞋山是第四纪冰期时，由冰川磨削而成。

仙人洞

三毛经过因白居易咏桃花诗而得名的花径，前去游览仙人洞。仙人洞中有一座石雕的纯阳殿，殿中有吕洞宾的石像。相传唐朝时，吕洞宾两次都没考中进士，便来到此洞隐居，后来修炼成仙。后人便将此洞称作仙人洞。

哇！这里太惊险了！

天桥

三毛顺着仙路到锦绣谷游览后，钻过狭窄的岩洞，沿云中栈道到达深渊万丈的天桥边。红鹦鹉讲起了天桥的传说：

当年，朱元璋被陈友谅军队追到崖边，无路可逃。突然，金龙从天而降，化为石桥。朱元璋大喜，上桥夺路而去。他过桥后，桥便断了，挡住了追兵。

小资料

仙人洞外的悬崖旁有一块横石凌空，叫"蟾蜍(chán chú)石"，石背裂缝处长一棵石松。洞北有条小路叫仙路，通往神话中的"竹林隐寺"。

不，诗中说的是黄岩瀑布。那时人们还没发现三叠泉呢。

庐山瀑布

红鹦鹉介绍说，瀑布众多是庐山的特色之一。三毛一听，便吟起了李白的诗："日照香炉生紫烟，遥看瀑布挂前川，飞流直下三千尺，疑是银河落九天。"

李白诗中吟的就是这三叠泉吗？

三叠泉

三毛来到三叠泉。三叠泉源于九叠谷，瀑布随山势形成上、中、下三叠坠落，落差达140多米，是庐山的第一奇观。宋朝时，樵夫来到无人到过的五老峰北侧山谷中，才发现了庐山最为壮观的三叠泉。除三叠泉外，著名瀑布还有黄岩瀑布、黄龙潭瀑布和乌龙潭瀑布等。

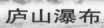

东林寺

庐山曾是宗教圣地，古代寺庙最多时有380多处。三毛在庐山南麓看了西林塔后，又去参观已有1500多年历史的东林寺，它是佛教净土宗的发源地，鉴真大师将东林寺教义传入日本，在日本佛教界产生较大的影响。

东林寺前有座虎溪桥，据说慧远和尚送客从不过桥。一次，他送陶渊明和陆修静出山门，边谈边走不觉过了桥。慧远饲养的猛虎吼叫起来，三人不禁相视大笑。

> 猛虎阻止慧远送陶渊明过桥，被后人称为"虎溪三笑"。

> 汪汪！真有趣。

你知道吗？

相传慧远建殿时缺乏木料，山神前来帮他。只见平地冒出个水池，水中涌出许多木材。大殿造成后，便被称为"神运宝殿"。

考考你

喝了聪明泉的水，当真会变聪明吗？

> 咦，东林寺中大殿为什么取名"神运宝殿"？

> 汪汪！让我喝一口，变条聪明狗。

《考考你》答案：喝泉水不会变聪明，只有不断学习，掌握各种文化、科学知识，人才会变聪明。

"海上花园"厦门

三毛乘火车驶过5千米长的海中长堤,来到素有"海上花园"美誉的厦门。

厦门又叫鹭岛。相传这里原是荒岛,一群白鹭来此用嘴啄爪挖掘出清泉,撒下从大陆衔来的花种草籽,使荒岛变花园。后来蛇妖来侵犯,白鹭血战蛇妖,保卫了厦门岛。

瞧,南普陀寺的建筑多宏伟,寺内的佛像十分精美哩。

南普陀

厦门有座著名的南普陀寺,始建于唐朝。三毛在寺内看到一口铸造于宋朝的千年神钟。红鹦鹉说,倭寇侵犯厦门时,钟被湮(yān)没在此。相传当钟重新出土、悬上寺梁时,它竟不敲自鸣,声传数里。

鼓浪屿

三毛乘船去厦门附近的鼓浪屿。鼓浪屿是著名的游览、避暑小岛，这里气候温暖，阳光充足，岛上各国建筑应有尽有，犹如万国建筑博物馆。

日光岩是鼓浪屿的最高峰，三毛攀上岩顶，凭栏远眺，厦门美景尽收眼底。明末清初，民族英雄郑成功在此屯兵，操练水师，山寨遗迹保留至今。

菽庄花园

三毛来到菽庄花园，它是厦门名园之最。全园借山藏海，布局巧妙。园侧是海滨浴场，向左沿曲栏而行，有一座四十四曲桥横跨海上，蜿蜒抵达日光岩山麓。在跨海曲桥上凭栏而望，海阔天空，令三毛备感神清气爽。

考考你

鼓浪屿为什么又称为"钢琴之岛"？

小资料

郑成功纪念馆建于1962年2月郑成功收复台湾300周年纪念日。馆内陈列着郑成功穿过的蟒袍（残片）、玉带，亲笔所书墨迹和当时的兵器、印章、银币等。

你知道吗？

鼓浪屿海岸蜿蜒曲折，礁岩奇趣天成，怪石嵯（cuó）峨叠成洞壑（hè），洞内海风激荡，涛声如雷，鼓浪屿因此得名。

菽庄花园花卉满园，四季如春呢。

《考考你》答案：岛上几乎家家有钢琴，音乐基础雄厚，人才辈出，曾培育了殷承宗、许斐平、陈佐煌等著名音乐家。

"刺桐古城"泉州

三毛乘船来到历史文化名城泉州。早在1000多年前,泉州已是对外贸易大港。宋、元朝时,各国使节、商人和教徒远渡重洋来到泉州,明朝郑和下西洋也从这里出发,泉州因此被誉为东方第一商港。

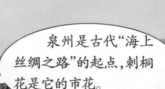

泉州是古代"海上丝绸之路"的起点,刺桐花是它的市花。

清源山

三毛前去游览"闽海蓬莱第一山"清源山。山有三峰:中峰有清源洞、紫泽宫等;左峰有瑞像岩、碧霄岩、龟岩等;右峰有南台岩、弥陀岩、老君岩等。另有三十六洞天景色,林泉清翠,奇石嵯峨。

哇,这个佛字好大啊!

弥陀岩

《考考你》答案:清源山有乳泉从石间流出,故又名泉山,泉州之名由此山而来。

中华名胜
一绝

清源山有一尊神态和蔼可亲的太上老君石像，由天然岩石略加雕琢而成，是难得的宋朝道教巨型石刻佳作，被称为"老子天下第一"。

弘一法师就是近代著名艺术家、教育家李叔同。

汪汪！太上老君像有多高啊？

石像高5.1米，厚7.2米，宽7.3米。

瞧，高僧弘一法师墓就在清源山千手岩边。

开元寺

离开清源山，三毛去参观始建于唐朝的开元寺。走进大雄宝殿，三毛看到殿前有72幅人面狮身浮雕，斗拱上刻着24尊飞天乐伎(jì)，殿后则是2根波罗门式浮雕青石柱，异常精美。

大雄宝殿两侧有2座石塔，东侧镇国塔，西侧仁寿塔，分别建于唐朝和五代。相传建塔时，用堆土法施工，塔建多高，土就堆多高，建到塔顶时，土堆如小山，土坡长达几里地。

对。东塔高48米，西塔高44米。

小资料

石塔中心砌有柱围15米的八角形花岗岩中柱，起着支撑整体作用。塔每层开4扇门，位置逐层交换，既美观又承压均匀，连同塔顶8条平衡对称的大铁链，构成符合力学要求的整体结构。所以，双塔抗住了无数次地震和飓风。

2座塔好像不一样高？

"碧水丹崖"武夷山

来到美丽的武夷山,红鹦鹉介绍道,武夷山的"三三"碧水(九曲溪),"六六"奇峰(三十六峰)与众多名胜古迹构成的大自然画廊,赢得了"奇秀甲东南"的美誉。这里既是国家级风景名胜区、自然保护区,还是联合国"人与生物圈"组织成员,号称"世界生物之窗"。

> 武夷山是千年文化名山,又是道教的神秘发祥地之一。

你知道吗?

武夷山的红岩与九曲溪组成了罕见的"碧水丹崖"奇景。距今1.37亿年前,武夷山景区还是湖泊,后来地壳运动,湖底赤石岩层升起,在长期风吹日晒、霜雪雨水侵蚀雕琢下,形成当今奇特的丹霞地貌。

东南天柱

顺九曲溪进武夷山的第一峰是大王峰,形似巨大无比纱帽,俗称纱帽岩。相传战时,魏王在峰南建魏王城,并峰顶炼丹。因山峰伟岸孤峭,耸云天,被誉为"东南天柱"。

玉女峰的传说

相传英俊的大王和美丽的玉女准备结婚时,阴险的铁板鬼来捣乱,作法将两人分开,变成大王峰和玉女峰,自己则化作铁板嶂横在中间。峰下浴香潭,传说是玉女沐浴处,左侧的香梳石是她梳妆的地方。

玉女峰

小资料

武夷山是南方民族的发祥地之一,九曲溪两岸的悬崖壁洞中有许多船棺,又称悬棺,是3400年前的葬具,引起了历代游人、学者的兴趣。

看,前面就是玉女峰。

汪汪!乘竹筏真好玩。

天游峰

天游峰

下了竹筏,三毛去游览武夷第一胜地天游峰。它巍然高耸,云雾弥漫,登山像在天国漫游,所以有"天游"美名。三毛站在峰顶一览亭放眼群山,九曲溪景色尽收眼底,美不胜收。

"大红袍"的传说

武夷山特产"大红袍"是乌龙茶之王。相传明朝时,一位穷书生赶考路过武夷山,因腹泻只得借宿寺庙。和尚请他喝茶后,病就好了。书生日夜兼程赶上考试,并中了状元。他重返武夷山,将状元穿的大红袍披上茶树,表示感谢。从此,茶树被称为"大红袍"。

"秀冠五岳"的衡山

当高耸入云的南岳衡山展现在眼前时,三毛发出了由衷的感叹。传说开天辟地的盘古死时,想用左臂抱住湘江,结果化作衡山。又说,神农在此尝百草,火神祝融和治水的大禹都来过此地,留下了许多美丽动人的故事。

南岳大庙的主殿有72根柱子,代表衡山72峰。而殿内殿外全是龙:石刻的、木雕的、泥塑的、彩绘的、陶瓷的,足有800条,号称"八百蛟龙护南岳"。

古人认为龙属水,可防火神祝融烧毁庙宇。

汪汪!南岳大庙为什么要有这么多龙?

你知道吗?

衡山有四绝:祝融峰之高、藏经殿之秀、方广寺之深、水帘洞之奇。南岳松竹葱茏,夏季清凉,故有"秀冠五岳"之誉。

李白曾吟诗说:"衡山苍苍入紫冥,下看南极老人星。回飙(biāo)吹散五峰雪,往往飞花落洞庭。"多秀美,多浪漫啊!

八百里洞庭

衡山那秀丽的景色使三毛流连忘返。第三天,在俏皮狗的催促下,他才下山,沿湘江往洞庭湖而去。

洞庭湖面积2740平方千米,是中国第二大淡水湖,号称"八百里洞庭"。古代四大名楼之一的岳阳楼,就耸立在湖畔。

> 自古以来就有"洞庭天下水,岳阳天下楼"之称。

> 君山上还有一口柳毅井,井壁刻着巡海神浮雕。相传那是神话故事中柳毅为龙女传书的地方。

君山

三毛乘船登上了洞庭湖中的君山。君山上有个二妃墓,墓前石柱上雕着麒麟、狮、象等图案。二妃即传说中舜的妻子娥皇、女英,又叫君妃、湘妃,所以此山名君山,又叫湘山。

岳阳楼

高19.72米的岳阳楼建于唐朝,宋朝重修。重修时,北宋政治家、文学家范仲淹写下了脍炙人口的《岳阳楼记》,使岳阳楼名扬天下。岳阳楼因洞庭湖而显得气势磅礴,洞庭湖因岳阳楼而变得更秀美。

> 岳阳楼是纯木结构,没用一根铁钉。

> "先天下之忧而忧,后天下之乐而乐",范仲淹的名句更使岳阳楼增光添彩。

国家森林公园武陵源

三毛要去游览盛名远扬的武陵源,它已被联合国列入世界自然遗产保护名录。红鹦鹉再次变大身体,驮着三毛和俏皮狗飞往湘西。

> 武陵源位于湘西山区,它包括大庸县张家界、慈利县索溪峪和桑植县天子山三部分。

> 汪汪!这块巨岩真陡峭!

> 这就是著名的金鞭岩,它高300余米。

张家界

红鹦鹉降落在张家界的金鞭溪畔,奇异的金鞭岩耸立在他们眼前。相传,当年秦始皇用赶山鞭赶着大山去填海,龙王为此惊惶失措。龙女知道后,巧妙地用假鞭换走了秦始皇的赶山鞭。第二天,秦始皇用假鞭去赶山,山石纹丝不动,气得他扔掉鞭子,鞭子落地化作金鞭岩。

索溪峪

游罢张家界,三毛来到索溪峪。似乎大自然对索溪峪特别钟爱,这里既有石灰岩地貌,又有石砂岩峰林地貌,形成了山奇、水秀、洞幽、"桥"险的特色。

峰林区中有2000多座石峰直指云天,如剑、如柱、如塔、如屏,绝壁千仞(rèn)似刀劈斧砍。石灰岩溶洞区宛如瑰丽的"地府龙宫",含有各种有色金属的岩石呈现出缤纷色彩,形成形形色色的"花"、"树"、"人物"、"百兽"、"宫殿"等,使人仿佛置身于神话世界。更妙的是,索溪峪山谷中群猴出没,给三毛带来了无穷乐趣。

> 张家界这三奇是怎么形成的?

> 这些科学之谜还有待你来揭示其中奥妙哩。

你知道吗?

张家界有三奇。1.奇怪的月亮:春夏季久雨初晴之夜,天上会出现红月亮。2.奇怪的影子:秋高气爽的好天气,人的身影会一变二,二变三,令人诧异。3.奇怪的光圈:西海上空每年会出现一次美丽的光圈,光圈由小到大,约持续3~4分钟。

> 看,那是"云门洞开",真是奇妙极了。

"楚天名城"武汉

武汉由武昌、汉口、汉阳三镇组成,是长江中游水陆交通枢纽,也是历史文化名城之一。三毛在著名风景区东湖游览了行吟阁、长天楼、九女墩、湖光阁、磨山等名胜及屈原纪念馆,眼前仿佛掠过了春秋时楚国的历史风烟。当三毛在长江畔的蛇山参观雄伟的黄鹤楼时,心中更是激动万分。

黄鹤楼的传说

从前,辛氏在此开酒店。一天,一个道士用橘子皮在店壁上画了一只黄鹤,它听到客人拍手就会飞下壁来翩翩起舞。辛氏因此生意红火。后来道士又来酒店,骑着黄鹤飞走了。辛氏便在此造了黄鹤楼。

> 昔人已乘黄鹤去,此地空余黄鹤楼。黄鹤一去不复返,白云千载空悠悠……

> 中国四大名楼之一的黄鹤楼始建于公元223年,历代屡建屡毁,现在这座气宇轩昂的黄鹤楼总高51米多哩。

"琼阁仙岳"武当山

　　三毛来到道教名山武当山。它是著名风景名胜区，被联合国列入了世界文化遗产保护名录。联合国专家考察时高度评价说："武当山自然是世界上最美的地方之一，因为这里把古人的智慧、历史的建筑和自然的美景融为一体。"

武当山从山麓到山顶有一套完整而又壮观的古建筑群，从净乐宫到金顶的古栈道长达70千米哩。

遇真宫

武当山神道口的玄岳门上用浮雕、镂(lòu)雕等手法刻着仙鹤游云、八仙故事及花卉图案,镌(juān)雕精巧,堪称石雕艺术精品。

过玄岳门,三毛到了遇真宫。明朝时,张三丰在此修炼,被称为"真仙"。明朝皇帝多次派人访求,他都避而不见。张三丰离山远游后,踪迹莫测,人们便建了这座遇真宫。

磨针井的传说

在武当山的登山道旁有个小道院,殿前立着两根铁杵,殿旁亭中有口井。红鹦鹉讲起了故事:

相传净乐国太子入山学道,因心志不坚,想下山还俗。他路过井边,见一个姥姆在磨铁杵,十分奇怪。姥姆说:"我要将铁杵磨成针。别看铁杵粗,功到自然会成功。"太子顿时感悟,重新上山苦修,终于得道。磨针井因此得名。

遇真宫里有一尊张三丰身穿布衣草鞋的坐像,形象非常生动呢。

复真观

三毛走到复真观红门前,见门额上题写着"太子坡"三字,便笑着说:"这里就是净乐国太子修道的地方吧。"

复真观周围红墙环绕,观内建有龙虎殿等。三毛特别注意到,左侧院落中的接待客堂是座依岩而造的5层楼阁,其中用12根梁枋交叉叠搁,但下面却只用1根柱子支撑,结构奇特,是古建筑中的杰作。

复真观中复道曲折,称作九曲黄河墙。

金殿

　　三毛在山岭奇峭的南岩,参观了相传是真武帝舍身的"飞升台"等遗迹后,又游览了建在悬崖绝壁的南岩宫。这是座仿造木结构的石筑宫殿,宛若仙山楼阁。

　　从南岩宫往上,攀登到天柱峰顶端,有座金碧辉煌的金殿。红鹦鹉介绍说,金殿高5.54米、宽4.4米、深3.15米,是座鎏金的铜殿。殿内供着真武帝君,两旁侍立金童玉女,两厢是勇猛威严的水火两将。这些铜像堪称艺术精华。

　　金殿下有一条长达1.5千米的石城绕山峰一周,称为紫金城。三毛站在金顶极目远望,武当山景色尽收眼底,使他油然产生了凌空出世之感。

> 金殿是中国古代建筑和铸造工艺中的一颗灿烂明珠。

小资料

　　建于1413年的紫霄宫背靠展旗峰依山叠砌,殿堂楼宇鳞次栉比,雄伟壮观。尤其是紫霄殿,重檐九脊,翠瓦丹墙,殿内绘遍彩画,飞金流碧,富丽辉煌。紫霄宫旁还有赐剑井、禹迹池、禹迹桥等遗迹。

你知道吗?

　　金殿旁常有流云飞雾,远看仿佛天宫神阙(què)。雨后初晴或既有阳光又有雾时,金殿的上空会出现另一个金殿幻影。过去,迷信者以为这是殿内真武神像显灵。其实,它和"海市蜃(shèn)楼"一样,是一种光学现象。

> 紫霄宫曾作过贺龙率领的红二军团司令部,为中国革命作出了可贵的贡献。

(四)西南部地区

"天府之国"四川

三毛在湖北游览尽兴后,乘游轮沿长江往西,去四川观光。红鹦鹉说,四川在长江上游,是三国时蜀国天地,因物产丰富,被誉为"天府之国"。

从湖北到四川,要经过著名的天险——长江三峡。长江三峡从湖北宜昌的南津关到四川奉节的白帝城,跨越宜昌、秭(zǐ)归、巴东、巫山、奉节5个县市,全长193千米,沿途景色变化无穷,雄奇壮丽。

考考你

你知道长江有多长,流经哪些省市吗?

《考考你》答案:长江流经青海、西藏、四川、云南、湖北、湖南、江西、安徽、江苏、上海10个省市,全长6300千米,是中国第一大河,世界第三大河。

长江三峡是瞿塘峡、巫峡、西陵峡的总称。

西陵峡

船到西陵峡,它是三峡中最长的峡谷,从湖北宜昌到四川巴东全长120千米,峡内有兵书宝剑峡、牛肝马肺峡、崆岭峡、黄牛峡、灯影峡、青滩、泄滩、崆岭滩和虾蟆碚(bèi)等名峡险滩。当地歌谣唱道:青滩泄滩不算难,崆岭才是鬼门关。

兵书宝剑峡的传说

在峡谷的北岸峭壁上有些东西叠放着,状似书册,人称"兵书"。在"兵书"右下方有一道条形岩石突起,像浮雕巨剑,称作"宝剑"。相传,当年诸葛亮将兵书宝剑收藏于此,因此得名。唐朝雅州刺史曾派人登上绝壁,发现所谓"兵书"其实是层叠的棺木。

你知道吗?

相传大禹治水时,土星化作黄牛来相助,用犄角触裂重重高山,疏通江流。后来黄牛跳入石壁,留下神人牵牛的影像,被称为"黄牛峡"。黄牛峡有座黄陵庙,是西陵峡中的著名古迹。相传庙内武侯祠石碑刻的《黄牛庙记》,是诸葛亮撰(zhuàn)写的。

> 瞧,这就是西陵峡,峡中还有个兵书宝剑峡呢。

> 近代采药人从崖棺中取出铜剑等文物,证实那是古代巴人岩棺遗迹。

> 汪汪!为什么起这么一个名字?

> 这里有个故事哩。

小资料

西陵峡岸边,秭归县城东北的屈坪,是伟大的爱国诗人屈原的家乡。而秭归县城西边的香溪,相传王昭君曾在此洗涤香罗帕,致使溪水芳香四溢而得名。

三毛大世界

巫峡

游船经过西陵峡进入巫峡。巫峡共有12峰：南有聚鹤、翠屏、飞凤、上升、起云、净坛6峰；北有集仙、松峦、神女、朝云、圣泉、登龙6峰。船过神女峰，红鹦鹉讲起了动人的传说。

你知道吗？

巫峡西段岩壁的石灰岩层次很薄，形成灰白色褶皱，远看犹如武士穿的银甲。而浑圆形山顶的岩石却被含有氧化铁的水溶液染成黄褐色，看来就像金色头盔，所以称作金盔银甲峡。

瞿塘峡

瞿塘峡最窄处江面宽不到百米，入口处两边陡崖耸立如石门，称作夔(kuí)门，素有"夔门天下雄"之称。

瞿塘峡有众多名胜，如铁锁关、孟良梯、圣姥泉、倒吊和尚、犀牛望月等。

汪汪！这么多哇，我们都看不过来了！

巫峡神女的传说

远古时，12位仙女驾云来到巫峡，见大禹率百姓在开山排水。有个叫瑶姬的仙女是西王母的女儿，看了十分感动，便率众仙女用神力帮助大禹。后来，仙女耗尽神力，化为12座山峰。瑶姬变的山峰最挺拔秀丽，称为神女峰。

白帝城

瞿塘峡西口有座白帝城。三国时,刘备为替关羽报仇,举兵伐吴,战败后退守白帝城。刘备临终时,在此将儿子阿斗托孤于诸葛亮。

三毛站在白帝城前,情不自禁地吟起了李白的著名诗篇。

> 朝辞白帝彩云间,千里江陵一日还。两岸猿声啼不住,轻舟已过万重山。

你知道吗?

汉朝时,成都织锦业发达,设锦官管理,所以成都又叫锦官城、锦城。五代后,蜀后主在周长20千米的城墙上遍种芙蓉树,又有了芙蓉城之称。

"锦绣芙蓉"成都

游船到重庆后,又沿嘉陵江北上,三毛准备顺着古蜀道去历史文化名城成都。俏皮狗一听便大叫起来:"汪汪!别去走古蜀道。我听你读过唐朝李白的诗,什么'蜀道难,难于上青天'啊,我可不愿跑断狗腿!"

红鹦鹉忍不住笑了:"蜀道难,那是老黄历了。成都如今是西南地区的交通枢纽,宝成、成渝、成昆铁路线交会于此,公路网四通八达,坐飞机还能直达北京、上海、天津、武汉、昆明、拉萨等大城市哩。"

古蜀道北起七盘关,经过峭壁如劈的清风峡、明月峡,来到自古兵家必争之地的剑门关,然后一路古柏夹道,直至梓潼。三毛边走边给俏皮狗讲诸葛亮从这里六出祁山的故事,听得俏皮狗入了迷,忘了一路的疲劳。

当他们快到成都时,红鹦鹉介绍说,距今2400年前,蜀王就在此建都,称为成都,这名字一直沿用至今。秦始皇灭掉蜀国后,设立蜀郡。郡守李冰父子兴建都江堰水利工程,使成都平原沃野千里,赢得了"天府之国"美誉。

武侯祠

　　成都南门大桥外的武侯祠是纪念诸葛亮的祠堂。俏皮狗见祠门上题着"汉昭烈庙"字样,进了二门便是供着刘备贴金彩塑像的刘备殿,就不解地问:"汪汪!这到底是纪念诸葛亮的祠堂,还是刘备庙?"红鹦鹉解释道:"建于公元6世纪的武侯祠原先与纪念刘备的汉昭烈庙相邻。明朝时,蜀献王将它们合并在一起了。"

　　武侯祠殿宇西侧的惠陵,是刘备和甘、吴两位夫人的合葬墓。

你知道吗?

　　武侯祠内的静远堂是奉祀(sì)诸葛亮的殿堂。贴金彩塑的诸葛亮端坐正中,他手执羽扇,面容安详。右侧陈列着3面精美古朴的铜鼓,人称诸葛鼓。相传诸葛亮南征时,军队白天用铜鼓来做饭,晚上用来报警。其实,铜鼓是南方少数民族的文化遗物,叫夷鼓,它原是灶具,后来演变成乐器,常用于祭祀、集会和战争。

刘备死后,被称为汉昭烈皇帝。

青羊宫

　　三毛参观武侯祠后,又来到了青羊宫。相传这里是老子的诞生地,为祭祀老子而建了青羊观。唐朝时,老子被封为太上玄元皇帝,道教尊他为太上老君后,便改观为宫。宫内有灵祖楼、混元殿、八卦亭、三清殿、玉皇阁、降生台、说法台等众多古建筑。

小资料

　　三清殿里有一对铜羊,俗称青羊。其中一只单角羊造型奇特,是12生肖化身,即鼠耳、牛鼻、虎爪、兔背、龙角、蛇尾、马嘴、羊须、猴颈、鸡眼、狗腹、猪臀。

你知道吗,如今每年农历二月,都要在青羊宫举行成都花会。

杜甫草堂

成都西郊浣花溪畔,有一座杜甫草堂。红鹦鹉告诉三毛,公元759年,杜甫为避安史之乱,流落到成都,在此盖了茅屋,居住了3年9个月,写下247首诗。后人为纪念杜甫,历代多次重修,使如今的杜甫草堂融传统的纪念祠堂与古老园林于一体,富有诗情画意。

考考你

"安得广厦千万间,大庇(bì)天下寒士俱欢颜,风雨不动安如山!呜呼!何时眼前突兀(wù)见此屋,吾庐独破受冻死亦足!"这诗句出自杜甫哪首诗?

杜甫的诗大多真实地反映了当时的社会生活,被后人推崇为"诗圣"。我想用他的诗来考考你。

浣花夫人的故事

杜甫草堂有座浣花夫人祠。据史书记载,公元768年,西川节度使崔宁奉诏入京,泸州刺史趁机攻打成都。大敌当前,崔宁妻子任氏毅然用10万家财招募勇士,亲自挂帅出战,打败敌军。因任氏出于浣花溪畔农家,被称为浣花夫人。

《考考你》答案:出自杜甫写于浣花溪畔的《茅屋为秋风所破歌》。

青城天下幽

灌县青城山是道教发祥地之一。相传，黄帝在此寻访神仙，留下了访宁桥、轩皇台等胜迹。山上盛产川芎(xiōng)、鹿含草、石岩参等药材。始建于唐朝的建福宫是游山起点，三毛顺着清澈的小溪登上鬼城山，游览战国时鬼谷子的隐居处。特别引起俏皮狗注意的是位于山腰的天师洞，传说东汉道教天师张道陵在此讲道，创立了五斗米道。

你知道吗？

天师洞北的巨石上刻着"降魔"两字。相传，张天师降魔时轰雷掣电，却被巨石挡住，张天师挥剑一劈，巨石一裂为三，被称为三岛石。

> 汪汪！青城山顶的上清宫气势真宏伟啊！

> 宫里有鸳鸯井、麻姑池，是神话中的麻姑洗仙丹之处。

都江堰

下了青城山，便到都江堰，这是李冰率众人修建的大型水利工程，距今已有2250多年了。此堰由鱼嘴、飞沙堰、宝瓶口3部分组成。鱼嘴将滔滔岷江一劈为二，江水经飞沙堰从宝瓶口流入成都平原，造福农桑。后人为纪念李冰父子，在江岸造了二王庙。

都江堰

> 这就是著名的安澜桥，俗称索桥，全长240米呢。

小资料

清朝嘉庆年间，塾(shu)师何先德看到渡口翻船，淹死100多人，便下决心造了这座桥。桥原用木架支撑竹索，后改为铁索。

> 汪汪！走在桥上像在荡秋千，真好玩！

峨眉天下秀

　　四大佛教名山之一的峨眉山青峰叠翠，风景秀逸，素有"峨眉天下秀"之称。红鹦鹉说，峨眉山最早的庙宇建于东汉初，明、清时庙宇多达近百座。此山是释迦牟尼弟子普贤的道场，所以庙中以供奉普贤菩萨为主。三毛首先来到报国寺，它是入山的门户。

你知道吗？

　　峨眉山从山麓到山顶，山路长50千米，石径盘旋，直上九霄，主峰万佛顶海拔高达3099米。古人写诗赞道："峨眉高，高插天，百二十里云烟连，盘空鸟道千万折，奇峰朵朵开青莲。"

古人认为，峨眉山的山势逶迤(wēi yí)，宛如美女的秀眉，因此得名。

伏虎寺

　　由报国寺往前便到伏虎寺。寺庙始建于唐朝，殿堂气势巍峨，四周楠木参天，浓荫蔽日。令人奇怪的是，殿堂的屋瓦上终年无枯枝败叶，康熙皇帝因此题写了"离垢(gòu)园"的匾额。

报国寺建于明朝，寺内有一尊1415年由景德镇烧制的彩釉瓷佛，高2.4米，是罕见的文物呢。

"报国寺"的匾额也是康熙皇帝题写的。

伏虎寺的传说

　　宋朝时，该寺名叫神龙堂。后来，寺庙附近出现了猛虎，经常伤人。为保一方平安，庙里的和尚建立一尊胜幢，用来镇虎。不久，虎患绝迹，寺名也就改为伏虎寺了。

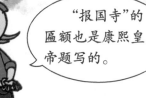

万年寺

　　三毛走进万年寺,看到一个在岩石上凿出的水池。相传唐朝名僧广浚在池畔为李白弹过琴。池里有一种叫声清脆悦耳的琴蛙,水池就叫琴蛙池。从琴蛙池往前,有一座巨大的穹(qióng)隆顶砖殿,这就是著名的明代无梁砖殿。殿内穹顶上画着4个怀抱箜篌(kōng hóu)、芦笙、琵琶、笛子的仙女在乘风翱翔。殿内有一尊骑象的普贤铜像。

这尊铜像铸造于北宋,是全国重点保护文物。

哇,从象脚下莲花到菩萨的佛冠顶,高达7.3米。

你知道吗?

　　骑象菩萨重62吨,它是在山下分块铸成,然后运上险峻的高山,再完整无缺地安装起来。这在1000年前,实属不易,其中凝结了多少古代劳动人民的汗水和智慧啊!

遇仙寺猴趣

　　三毛在万年寺住了一夜,第二天继续登山,来到遇仙寺前。突然,从路边蹦出一群猴子,围住三毛讨食。俏皮狗急得汪汪大叫,红鹦鹉笑着说:"猴子索食,正是峨眉山特有的野趣嘛。"

汪汪!那白象长着6根象牙呢!

遇仙寺的来历

传说古代有人上山求仙，走到此地时盘缠用完了，坐在地上直叹气。突然，来了个衣衫破旧的砍柴老人。老人让他骑上一根竹杖，竹杖倏然变成苍龙，驮着那人回到了家。后人便在此地建了遇仙寺。

乐山大佛

下了峨眉山，三毛来到岷江、大渡河与青衣江汇合处的乐山，参观世界上最大的石佛像。古代这里水恶浪急，经常翻船，唐朝僧人便到处化缘，聚资凿了这尊高71米的大佛。

考考你

在舍身岩前能看到五彩光环，环中有"佛影"，称为"佛光"。你知道它是怎样产生的吗？

汪汪！要是我站在舍身岩前，"佛光"里也会出现狗影吗？

哇！大佛的耳朵长7米，耳朵里可以立2个人呢。

金顶

经过传说中普贤浴象的洗象池后，三毛登上了峨眉山顶峰金顶。明朝时，这里有座铜殿，每当日出时，铜殿在阳光中金光四射，金顶由此得名。铜殿后来毁于大火。如今，金顶的舍身岩是观日出、看云海和观赏"佛光"之地。

汪汪！它的脚背上能坐100人哟！

《考考你》答案："佛光"和海市蜃楼一样，是光线折射现象。光环中的"佛影"，其实是游人自己身影的映现。

大佛头高14.7米、宽10米，它的肩宽达24米哩。

"童话世界"九寨沟

　　红鹦鹉变成一架直升机,带着三毛飞到九寨沟。九寨沟是岷山山脉中一条纵深40余千米的山沟谷地,地僻人稀,景物特异,有"童话世界"之誉。九寨沟四周耸立着几十座雪峰,谷地中遍布茂密的原始森林,大小湖泊共有100多处,当地人称为"海子"。森林中生活着数十种珍贵动物,如大熊猫、金丝猴、小熊猫、羚牛等。如今,九寨沟已被联合国列入世界自然遗产保护名录。

"海子"是怎么形成的

　　九寨沟是石灰岩地貌,水中溶解了大量碳酸钙。当岸边朽树倒下挡住流水,水流减慢使碳酸钙析出,日久天长形成钙质堤埂,造成了奇特的高山"海子"。

> 九寨沟因沟中有9个藏族村寨而得名。

> 这是九寨沟最大的"海子",叫长海,它长达7千米哩。

你知道吗?

　　九寨沟湖水清澈若镜,湖底的沉积石色彩斑斓,在阳光照射下会呈现墨绿、宝蓝、鹅黄、金橙等绚丽色彩,让人感到仿佛是在梦幻世界中遨游。

> 汪汪!刚才看到的小海子,只有几平方米大。

"人间瑶池"黄龙

游罢九寨沟，三毛又来到邻近的黄龙风景区，它也被联合国列入了世界自然遗产保护名录。相传大禹治水时，一条黄龙从洞中游出，为大禹负舟疏导江水。后来，人们造了黄龙寺祭祀它。每年农历六月十六，方圆数百里的藏、羌、回、汉各族群众都会来此赶庙会，形成一片帐篷的"海洋"，十分壮观。

这就是黄龙古寺。

汪汪！黄龙就是从寺后的洞里游出来的吗？

五彩池

黄龙风景区中小水池层层叠叠，数以千计。那梯田般的围堤由乳黄、乳白、灰黑的石灰岩凝结而成，线条优美，千姿百态，令人神往。在阳光的照耀下，水色绚丽多彩，滢(yíng)红漾绿，泛翠呈黄，或似蓝非蓝、似白非白，妙不可言。红鹦鹉说，人们给这些水池起了许多好听的名字，如荷花池、珍珠池、洗花池等，通称为五彩池。

碧池洗红绸，太美了！

池边还建了游览栈道，既保护自然景观，又方便了游客。

汪汪！我真想跳进水池里洗个澡。

看，这就是琪树流芳池。

"人间银河"黄果树

三毛一到位于云贵高原东部的贵州省,就急着去看久闻大名的黄果树大瀑布。红鹦鹉介绍道,相传黄果树风景区是九天银河倾泻下来变成的,银河主流化作了黄果树大瀑布,银河落地时飞溅的各部分化作了周围的瀑布群。银河还带落下来一些星星,有的化为晶亮的石头,有的化为湛蓝的水潭,有的化为石桥、溶洞……

> 黄果树大瀑布高68米,宽约81米,因为它坐落在滇黔(qián)公路边,易于被人发现,所以早就闻名中外。

考考你

黄果树大瀑布下的水潭叫什么名字?

你知道吗?

黄果树大瀑布位于白水河上,这一带是岩溶地区。大瀑布原是一条洞中暗河,经过长期溶蚀,洞顶逐步塌陷,形成了今天的瀑布和下游的箱形峡谷。

小资料

黄果树大瀑布只是瀑布群中的一员,论高峻、论博大、论雄奇、论娟秀,还大有其姐妹瀑布在。经考察,黄果树景区共有较大的地表瀑布18个,地下瀑布4个,各有各的独特情趣。

> 哇,水帘洞长达100余米,从大瀑布背后拦腰穿过,还有3个窗洞哩。

> 汪汪!透过窗洞看瀑布,真有趣!

《考考你》答案:叫犀牛潭。

这是陡坡塘瀑布，顶宽105米。瞧，科学工作者正在考察钙化滩坝的情况。

天星景区的银练坠潭瀑布是黄果树瀑布群中最秀美的瀑布。

多姿的天星景区

黄果树大瀑布下游6千米处的天星景区更是多姿多采，令三毛惊叹不已。天星景区由天星盆景区、天星洞景区和水上石林区组成，景观奇特。这里石上流水，水上有石，石上又长树，到处可以听到鸟鸣婉转，醉人的花香阵阵扑鼻而来。这里地面有石景，地下也有石景，一条傍石临水的石板小道婉蜒(wān yán)曲折地将3个景区相连。

汪汪！好险的天然石桥啊！我可不敢从上面过去。

这就是水上石林。

嘿，真像个巨大的盆景！

四季如春的昆明

昆明是座高原城市，它三面靠山，南临滇池，独特的地理环境使它四季如春，赢得了"春城"美名。三毛推开旅馆窗户，只见滇池烟波浩淼(miǎo)，湖边有座睡美人山。于是，红鹦鹉兴致勃勃地讲了个美丽的传说。

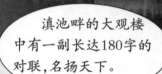

滇池畔的大观楼中有一副长达180字的对联，名扬天下。

睡美人山的传说

古代，这里有个春姑娘。那时，白狐狸精和猪婆龙常来危害百姓。春姑娘决心为民除害，爬到云岭顶峰找到玉镜。当她用玉镜照死白狐狸精时，猪婆龙趁机向她喷出毒雾。春姑娘奋力用玉镜砸死猪婆龙，玉镜落地化为滇池。春姑娘却被毒雾喷倒在地，变成了睡美人山。

从这座八角亭过桥，就是圆通寺正殿，殿后还有咒蛟台和幽谷洞、潮音洞哩。

圆通寺

三毛登上昆明市内的圆通山，参观建于1200年前的圆通寺。步入正殿，俏皮狗发现两根中柱上盘着两条巨龙，龙头昂起，像在听佛祖讲经，又像要飞腾上天，形象十分生动。红鹦鹉说："这两条龙还有个故事哩。"

咒蛟台的来历

传说很久以前，潮音洞里住着两条蛟龙，常出洞兴风作浪。圆通寺僧人在殿后石台上愤怒地诅咒蛟龙，居然把蛟龙镇住了。两条蛟龙被拴到了正殿柱子上，石台从此被称为咒蛟台。

金殿

　　昆明东郊有座鸣凤山，三毛沿着石阶山道往上，经过3座"山门"，来到了金殿前。金殿高6.7米，长和宽均为6.2米，重约200吨，是全国最大的铜殿。金殿坐落在大理石石基上，殿内供着道教真武帝君铜像，殿前还竖着一杆罕见的日月七星铜旗呢。

> 这座建筑精美的金殿钟楼高27米，楼内悬着一口重14吨的明代铜钟，钟声可传出20千米远哩。

你知道吗？

　　云南盛产铜，明朝时每年要将铜运到京城，供铸造铜币用。万历年间，云南人民纷纷起义，官府无法将铜运出，便召集能工巧匠造了金殿。

> 为在绝壁上开凿石道，人们前后用了23年工夫呢。

> 勇敢地上啊，龙门居西山胜景之冠呢！

> 汪汪！建在峭壁上的三清阁够险的了，想不到阁后的龙门更险！

千嶂壁立的路南石林

离滇池往东,三毛来到我国著名风景区路南石林。这里无数石峰拔地而起,宛若"林海",剑峰千仞,险峻峥嵘(zhēng róng),蔚为壮观,使三毛流连忘返,乐得俏皮狗直摇尾巴。

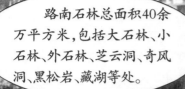

路南石林总面积40余万平方米,包括大石林、小石林、外石林、芝云洞、奇风洞、黑松岩、藏湖等处。

这就是"阿诗玛"石峰,你知道阿诗玛的故事吗?

汪汪!你快给我讲讲吧!

小资料

大石林的一泓碧水来自于地下暗河,似明镜嵌在奇峰异石间。池水蜿蜒在岩石中,石峰上有桥相连。在岩溶石洞中有石室、石床、石凳,奇妙无穷。

阿诗玛的传说

相传撒尼族姑娘阿诗玛被恶霸抢去,哥哥阿黑前去营救,历尽千辛万苦才逃出虎穴。兄妹俩走到此地时,恶霸勾结崖神变出滔滔洪水,淹死了阿诗玛。阿诗玛死后化作了这座石峰。

迷人的西双版纳

　　红鹦鹉驮着三毛和俏皮狗展翅南飞，来到迷人的西双版纳。这里是傣(dǎi)、汉、哈尼等多民族聚居区，以美丽的热带风光和原始雨林著称。名胜古迹有勐(měng)海景真八角亭、景洪曼飞龙塔等。红鹦鹉说，西双版纳是全国重点自然保护区和风景名胜区。

> 那不是胡子，是大树的气生根。这就是"独木成林"的大榕树。

> 汪汪！那大树怎么长胡子了？

你知道吗?

　　林中光药用植物就有300多种，珍贵树木100余种，属于中国一二类重点保护的植物几乎有50%分布在此，而这里的动物多达1180多种，使西双版纳赢得了"动植物王国"的美称。

神奇的热带雨林

　　三毛进入热带雨林，犹如落入了绿色大海。一排排光滑粗壮的树干直射苍穹，顶端撑开树冠，挡住了阳光，使林中又阴暗又潮湿。树枝上挂满了奇形怪状、五花八门的附生植物，你牵我拉，有的像美髯(rán)垂悬，有的似怒发冲冠。突然，林中出现了一群大象，吓得俏皮狗躲到三毛身后，大气也不敢喘一口。红鹦鹉介绍道，这里不但有大象，还有犀牛、长臂猿、孔雀等珍稀动物呢。

《考考你》
答案:这是水生植物王莲，它那巨大的叶子能托起50千克的重物呢。

考考你
这是荷花吗?

"东方日内瓦"大理

三毛漫游云南的最后一站,是被誉为"东方日内瓦"的大理。位于苍山下、洱海边的大理是著名风光旅游区。唐、宋时,它是南诏国都城,留下了众多名胜古迹,是历史文化名城之一。

这是大理古城门。公元1253年,元世祖忽必烈攻破大理城,灭了南诏国。

观音堂

三毛去游览观音堂。在那里,他惊异地看到一座观音阁傲立水池中,它的梁柱门窗、回廊栏围都用大理石制成,精巧玲珑,犹如海上神宫。红鹦鹉说,观音阁下有块巨石叫"妇负石",其中有个动人故事呢。

苍山脚下的崇圣寺三塔是云南最古老的建筑之一,也是我国享有盛名的塔群。

小资料

3座塔中最高的是千寻塔,有16层,塔高69.13米,建于公元823~859年。另2座各高42.19米的10层小塔,建于11世纪。1979年维修千寻塔时,发现了600件唐、宋时的珍贵文物,具有重要的历史和艺术价值。

妇负石的故事

相传汉朝时,敌兵进犯大理。为救百姓,观音菩萨变成老妇人,背起一块巨石走向前。敌兵大惊,心想,连老妇人都有如此大的力气,更别说青年了,吓得他们退兵而去。

汪汪!这3座塔是同时造的吗?

美丽的蝴蝶泉

三毛慕名来到蝴蝶泉。只见罅(xià)中流出清泉,汇成了周长20余米的碧潭。潭旁大树合抱,虬枝盘绕。正是春夏之交,无数彩蝶从树顶倒悬而下,垂荡在水面,形成奇观。

蝴蝶泉的传说

古代,泉边住着白族青年阿龙和阿花。当地恶霸要抢阿花为妾,他俩宁死不屈服,双双跳入泉中,泉水顿时翻起巨大水泡,从中飞出一对美丽的蝴蝶。蝴蝶泉因此得名。

你知道吗?

中国是蝴蝶最多的国家之一,共有蝶类1300多种,而在蝴蝶泉边,竟有100多种蝴蝶和130多种飞蛾。其中尾凤蝶、碧凤蝶、大紫蛱蝶、枯叶蝶等都是非常珍稀的品种。

考考你

大理的苍山盛产什么?

> 这座霁(jì)虹桥是我国最早、最长的铁索桥,被称为"天下第一桥"。

> 我来给你们讲个蝴蝶泉的传说。

博南古驿道

三毛轻舟泛游了风光秀丽的洱海后,又从大理出发,走上了称作博南道的古驿(yì)道。途中有座博南山,民谣唱道:"博南山,离天三尺三,人过要低头,马过要摘鞍。"在这条西南丝绸之路上,有许多独木桥、溜索、吊桥、笮(zuó)桥和铁索桥,成为名副其实的"桥梁博物馆"。

《考考你》答案:苍山盛产大理石。呈现天然画面的称彩花石;呈天然云纹的叫云灰石;净白的就是汉白玉。

桂林山水甲天下

坐落在漓江畔的桂林,既是山清水秀、洞奇石美的风景旅游区,又是中国历史文化名城。它千峰环野立,一水抱城流,素有"桂林山水甲天下"之称。三毛一到桂林,就要尽兴畅游一番。

人人都说桂林山水美,真是名不虚传啊!

小资料

桂林在春秋时是越国属地,战国时归服楚国。秦始皇统治中国时,才出现"桂林"这名字。桂林之名的来历,史学界有多种说法,但大多认为这里盛长玉桂树,所以得名。

独秀峰

三毛首先去游览独秀峰。它平地拔起,孤峰屹立于桂林市区王城里,是桂林十景之一。三毛和俏皮狗沿着西麓石磴道攀缘而上,经306级蜿蜒曲折的石阶,到达顶峰。举目环顾,远近诸山如在烟云中,脚下桂林市区尽收眼底。

独秀峰的传说

相传女娲补天时,有一块用剩的补天石掉进东海,经过万年海水冲刷变成了碧玉。碧玉冲上海滩被共工捡到。他将碧玉雕成一支玉簪(zān)。后来玉簪落到住在漓江边的嫦娥姑娘手中。嫦娥吃了仙药飞向月亮时,将玉簪投下地,变成了独秀峰。

汪汪!桂林山水有许多传说,独秀峰也有故事吗?

独秀峰有许多历代文人的摩崖题诗,具有一定的历史和艺术价值。

伏波山

红鹦鹉带三毛来到伏波山,这里是舟游桂林山水的出发地。这里早在宋朝时已是游览胜地,山麓建有轩昂的伏波楼。三毛在还珠洞前乘上竹筏,边观光,边听红鹦鹉讲还珠洞的故事。

还珠洞的故事

从前有个苦儿,靠卖草养活母亲。一天,龙王送给他一颗宝珠,能使草割了又生。珠宝商知道后,带兵来抢宝珠。苦儿把宝珠吞下肚,背起母亲逃进伏波山的山洞里。珠宝商追来,突然从漓江中游出一条金龙,喷火烧死了珠宝商和追兵。苦儿见是龙王来救他,便弯腰吐出宝珠,还给龙王。从此,山洞被称为还珠洞。

象鼻山

竹筏经过漓江与阳江交汇处时，俏皮狗惊奇地大叫起来："汪汪！江边那座山多像大象在饮水啊！"红鹦鹉笑着说："这是著名的象鼻山。山上那造型美观的明代砖塔，叫宝瓶塔。塔高13.6米，底层是八角形须弥座，中层为宝瓶形，上层是六角形，塔尖为宝瓶式盖顶。因为象鼻山半枕漓江，所以又叫枕水山。"

> 瞧，山上的宝瓶塔像不像一把剑柄？这里又有个传说哩。

象鼻山的传说

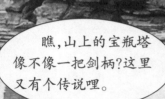

1. 从前，漓江边有一群大象，帮人们耕地、运东西，生活得很快乐。

2. 皇帝听说后十分眼红，带兵来捉大象。

3. 当地有个王勇，率领百姓骑着大象和皇帝的军队战斗。

4. 王勇不幸战死，他骑的大象守在遗体边不愿离去。

5. 皇帝趁机跳上象背，大象又蹦又跳。皇帝大怒，将宝剑刺进象背。大象将皇帝甩下地，一脚踩死。

6. 受伤的大象跑到江边去喝水，喝着喝着就变成了象鼻山。

阳朔奇峰又一家

竹筏顺着漓江往东南而行。从桂林到阳朔的83千米水路中,有50千米的江流经过阳朔境内。沿江奇峰旖旎(yǐ nǐ),洞穴幽奇,飞瀑挂空,美不胜收。三毛情不自禁地吟起古诗来:"桂林山水世争奇,阳朔奇峰又一家。我坐扁舟随意看,果然千朵绿莲花。"

石龟爬山

相传,龙王三公主从南方赶着石头去帮助修长城,走到漓江时,被一位老人看破机关,石头就留在此地,堵塞了河道,使这里发生大旱。玉皇知道后,派金龟将军下凡,将河道扒宽。谁知,耳聋的金龟把"扒宽"错听成"扒弯",便将漓江扒出了99道湾。玉皇大怒,罚它变成了岸边的"石龟爬山"。

> 据说漓江有99道湾。为什么漓江湾多滩险呢?其中也有个故事。

> 画山的9个山头远看像群马,或奔或立,形象栩栩如生。

考考你

桂林山水是怎样形成的?

你知道吗?

漓江两岸有冠岩浪石、杨堤幽境、画山观马、黄布倒影、兴坪古榕等佳境。在阳朔城四周有秀峰环绕,如笋、似簪、像莲瓣,总称"碧莲峰"。难怪千百年来,无数诗人、画家为之陶醉。

> 这是碧莲峰。古诗赞道:"碧光万道绕城通,拥出碧莲接太空。一色翠屏开保障,人家都在画图中。"

《考考你》答案:桂林是石灰岩地区,在漫长的地质年代中,石灰岩被溶蚀、风化成奇峰异洞,形成了秀丽的桂林山水。

> 哇!真是太美了!

（五）西部地区

瞧，殿顶耸立着镀金铜质的宝轮、羚羊、莲座和旗幡、经幢哩。

大昭寺建于公元647年，是汉藏两族人民友好往来的历史见证。

"日光之城"拉萨

三毛畅游了南方的千山万水后，红鹦鹉又驮着他和俏皮狗，飞到了素有"世界屋脊"之称的西藏，漫游"高原古城"拉萨。因为这里阳光明媚，又有"日光城"美誉。红鹦鹉降落在一座金碧辉煌的寺院中，那就是著名的大昭寺。

汪汪！画面上真热闹啊，人们在表演摔跤、野牛戏、狮子舞呢！

看，这就是寺内的松赞干布和文成公主的塑像。

布达拉宫

走出大昭寺，三毛去参观被联合国列入世界文化遗产保护名录的布达拉宫。红鹦鹉说，早期布达拉宫是松赞干布为迎娶文成公主而建。后来，历代达赖喇嘛不断扩建，形成如今宏伟的规模。它是昔日西藏政教合一的统治中心。

布达拉宫不但建筑宏伟，它还是世界上最高的文物博物馆哩。

哇！宫墙全用花岗石砌筑，宫体主楼为13层，高达117米哩。

小资料

布达拉宫里有5座历代达赖喇嘛的灵塔，其中十三世达赖的灵塔最高，灵塔用18870两黄金包裹，上面镶嵌着各种珠宝翠钻。殿内的十三世达赖银像，用1006两白银铸成。

考考你

照片中的乐器收藏于布达拉宫中，请问它是什么？

《考考你》答案：相传这是文成公主带入西藏的唐朝琵琶。

想不到，布达拉宫里珍藏着如此多的稀世珍品，不愧为世界上最高的博物馆。

它叫曼陀罗，是佛教法物，约用20多万颗珍珠串砌成，并镶有许多绿松宝石。

这座拥妃喜金刚，造型优美生动，显示出高超的艺术水平。

汪汪！这个放在十三世达赖灵塔边的是什么珍贵文物？

高原古城西宁

　　三毛乘车由青藏公路来到高原古城西宁。2000多年前，汉朝骠骑大将军霍去病在此建立了军事要塞；文成公主曾路过这里；无数西藏喇嘛、西域使节、波斯商人曾汇集于此……

　　三毛去参观了西宁南郊举世闻名的塔尔寺。全寺有4200多间殿屋，规模宏大。走进大经堂，只见168根独木大柱迎面耸立，柱子粗得让三毛无法合抱住。柱子上雕着精致图案，裹着五彩毛毯。经堂里有上千个镏金佛像，令人惊叹不已。

> 这是建于明朝的塔尔寺大金瓦殿，是藏汉文化结合的建筑。

> 汪汪！屋顶用的镏金铜瓦是清朝康熙年间改建的。

日月山畔青海湖

　　告别西宁，三毛来到日月山。红鹦鹉说，文成公主进藏途经此地，用唐太宗给她的日月宝镜看自己风尘仆仆的容貌，镜中正好映现此山。此山由此得名。传说文成公主回首遥望长安，因思念故乡而潸(shān)然泪下，滚滚泪水汇成了山畔的青海湖。

你知道吗？

　　塔尔寺在藏语中叫"么木"，即"十万佛像"的意思。它是供奉喇嘛教的黄教创始人宗喀巴的寺庙。喇嘛教的达赖和班禅都是宗喀巴的大弟子。

> 不，那只是美丽的传说。

青海湖是怎么形成的

　　2亿3千万年前，这里是浩瀚(hàn)古海。后来，喜马拉雅山隆起，古海变成盆地，聚水成大湖，湖水流入黄河。距今13万年前，地势再次抬升，湖水出口被封住，成为内陆湖。

> 汪汪！青海湖真是文成公主的泪水汇聚成的吗？

鸟的天堂

鸟岛有上百种鸟，多达10多万只。不但有天鹅、棕头鸥、斑头雁等候鸟，还有世上珍稀的黑颈鹤。因鸟岛近布哈河入湖口，有淡水喝，饵料丰富，天敌少，阳光充足利于孵蛋育雏，所以成为鸟的天堂。鸟岛已是国家自然保护区。

青海湖中有海心山、海东山等5个岛。这是著名的"鸟岛"海西山。

黄河的源头

最后，红鹦鹉驮着三毛和俏皮狗飞到巴颜喀喇山北麓的各姿各雅山下，只见一股清泉从几个泉眼中溢出，缓缓地在绿草如茵的滩地上流过，这就是中华民族的母亲河黄河的源头。

真没想到，在下游汹涌澎湃的黄河，源头却如此宁静、温顺。

"塞上江南"银川

宁夏首府银川虽然地处内陆,附近还有沙漠,但令三毛意外的是,这里竟是一派江南水乡风光。原来,2000多年前,大将蒙恬奉秦始皇之命,征集内地百姓到这一带筑长城时,同时修建了大型渠道,引来黄河水灌溉。后来,经历代修建,整个宁夏平原上河渠密布,水田纵横,赢得了"天下黄河富宁夏"的美誉。

海宝塔

三毛登上了银川市北的海宝塔。这座塔始建于什么时候,谁也说不清楚,只知公元5世纪初,西夏国王赫连勃勃曾重修此塔。由此可见,海宝塔已非常古老。从塔上远眺,绵绵黄河、巍巍贺兰山尽收眼底。俏皮狗忍不住催促道:"汪汪!贺兰山真威武,我们去贺兰山游玩吧。"

> 海宝塔那方形塔身具有独特的艺术风格,是我国数千座塔中绝无仅有的。

> 这里的牛车为什么车轮特别大?

> 宁夏平原沟渠纵横,车轮大才不易陷入沟中。

贺兰山

贺兰山是宁夏平原西部的天然屏障,山势巍峨险峻,远看宛如骏马,"贺兰"就是蒙古语"骏马"的意思。银川曾是西夏王国都城,西夏王陵就坐落在贺兰山东麓,它对研究西夏历史和文化具有重要价值。

三毛来到贺兰山小滚钟口风景区,这里山美水秀,寺院、道观如林。特别是泾河的源头老龙潭,丛林石峡中有多级瀑布,是避暑胜地。相传,这里就是魏徵(zhēng)梦斩泾河老龙处。于是,红鹦鹉讲了一个神话故事。

魏徵梦斩老龙

天帝将派你的宰相魏徵来杀我，求陛下救我一命。

1. 相传，一天夜里，唐太宗梦见泾河老龙前来求他。

2. 原来，泾河老龙违背天帝旨意，下了场暴雨，造成水灾，使天帝大怒。

3. 唐太宗为救泾河老龙，故意让魏徵陪自己下棋，使他无法去杀老龙。

爱卿(qīng)，快醒醒！

4. 魏徵下着棋，突然伏在棋桌上打起瞌睡来。

5. 梦中，天帝给了魏徵一把神剑，命他去斩杀泾河老龙。

6. 魏徵来到泾河源头老龙潭，一剑斩下了龙头。

朕(zhèn)欲救泾河老龙，不料还是被你在梦中斩杀了。

7. 魏徵醒来，把梦中的事告诉了唐太宗。

火焰山下吐鲁番

离开宁夏,三毛乘吉普车进入新疆,沿古丝绸之路西行。俏皮狗突然大叫起来:"汪汪!山上着火啦!"红鹦鹉笑了:"那是座红色山脉,远看活像着了火。你知道吗,它就是《西游记》里的火焰山。"三毛知道,火焰山是吐鲁番盆地的标志,他们此刻已到吐鲁番了。

《西游记》只是神话故事,你知道火焰山的名称是怎么来的吗?

汪汪!火焰山上有铁扇公主吗?

你知道吗?

火焰山长100千米,海拔约500米,由露出地面的侏(zhū)罗纪、白垩(è)纪和第三纪砂砾岩层与红色泥岩组成。山上寸草不长,灼(zhuó)热的阳光照在红色山岩上像火焰般耀眼,因此被称为火焰山。

"火洲"的奥秘

进入吐鲁番,阵阵热风扑面而来,俏皮狗热得直吐舌头。三毛惊叹道:"这里真是名副其实的'火洲'啊!"红鹦鹉说,吐鲁番地势低凹,盆地中艾丁湖湖面低于海平面154米,是中国地势最低点。在阳光照射下,盆地中的沙漠、戈壁吸热快,使温度急剧上升,而盆地四周群山环绕,热气难以散开,使吐鲁番酷热异常。

想不到,吐鲁番还盛产葡萄、西瓜和哈密瓜。

原来俺老孙也上了当,火焰山不是被烈火烧红的。

汪汪!大西瓜真解渴!

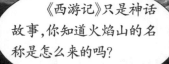

小资料

艾丁湖是维吾尔语"月光湖"的意思。因为湖中布满晶莹洁白的盐结晶，酷似月光，因而得名。

考考你

照片中的三毛为什么把自己的半身埋在沙里？

《考考你》答案：这是吐鲁番的"埋沙疗法"。高温的沙中含磁铁矿粉末，是日光浴、热疗、磁疗的三结合，能治疗关节炎和腰腿痛。

苏公塔

来到吐鲁番市后，三毛顾不上休息，前去参观苏公塔。用黄砖砌筑的苏公塔高44米，巧妙地利用拼砖的方式构成各种图案花纹。三毛进入塔内，发现塔内无木料，全凭砖砌的螺旋形中心支撑着全塔。塔旁的伊斯兰教堂中，矗立着用察合台文和汉文书写的石碑。

苏公塔不愧为新疆伊斯兰教的著名艺术建筑。

交河故城

在吐鲁番市以西10千米处,有个交河故城,它曾是古代西域车师国的国都。因为这里有两条古河床交叉环抱,所以称作交河。三毛走进建于唐朝的古城遗址,发现台地以西是一片古墓地。在城区中,有规模宏大的寺院、大宅院、手工业作坊及壮观的塔群。如此历史悠久、保存完好的古城遗址,在国内是首屈一指的。

> 交河遗址是全国重点文物保护单位,现正在向联合国申报列入世界文化遗产保护名录。

雪山瑶池

三毛去攀登博格达雪峰,它是天山高峰之一,因终年积雪,被称为"雪海"。当三毛到达海拔1900米高的山腰时,只见雪峰环抱着一个绿如碧玉的高山湖。这就是著名游览胜地天池。

你知道吗?

战国的《穆天子传》,讲述了穆天子受西王母邀请,在青鸟引导下,乘天马驾的车去赴会。途中,他斗败拦路怪兽,来到天河边。只见九十九万九千条鳄鱼架起一座桥,让他渡过天河,来到瑶池。西王母用九千年才结果的蟠桃招待了他。相传,天池就是西王母居住的瑶池。

> 天池是天镜、神池的意思,它由高山融雪汇聚成,湖深90米呢!

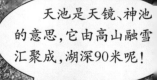

> 你知道吗,这就是神话传说中的瑶池。

丝路重镇喀什

　　新疆南部的喀什,是古代丝绸之路的重镇,也是我国历史文化名城。新疆最大的礼拜堂艾提尕(gǎ)清真寺就坐落在市内,它是全疆伊斯兰教活动中心,又是古尔邦节、肉孜(zī)节群众游乐歌舞的主要场所。三毛正巧遇上过古尔邦节,就兴致勃勃地看起斗羊来。

古尔邦节的来历

　　古尔邦节是伊斯兰教三大节日之一,来源于古老的阿拉伯传说:相传"先知"伊卡拉欣梦见安拉,安拉要他杀儿子来献祭,以此考验他的忠诚。当他真要杀儿子时,安拉派特使送来黑羊代替。从此有了宰牲献祭的习俗,所以古尔邦节又称宰牲节。

> 这是主墓室,顶高36米多,整个建筑雄伟而庄重,显示出维吾尔族建筑师的非凡才华。

> 香妃是乾隆的妃子,传说她身上有香味。乾隆曾在北京圆明园为她造了宫殿,后来被英法联军烧毁。

> 汪汪!香妃是谁啊?

香妃墓

　　看罢斗羊,红鹦鹉带三毛去参观阿帕克和卓麻扎。俏皮狗奇怪地说:"汪汪!这名字好怪啊!"红鹦鹉说,那就是传说的香妃墓。它建于17世纪,是维吾尔族建筑的瑰宝。

（六）北部地区

"青城"呼和浩特

说到内蒙古,三毛脑中就浮现了"天苍苍,野茫茫,风吹草低见牛羊"的草原景象。谁知,红鹦鹉却带他来到了呼和浩特。

塞外古城呼和浩特有着悠久的历史,早在新石器时代,人类祖先就在此劳动生息。16世纪,蒙古军队驻扎在这里,逐渐形成居民点。在草原上,这一片青砖建筑特别引人注目,便被称为呼和浩特,即蒙古语"青色的城"之意。

> 塔后照壁上还有蒙古文的天文图石刻,是研究古代天文学的重要资料哩。

> 汪汪!这座青砖建筑的金刚舍利宝塔真别致。

> 这座名叫"席力图召"的喇嘛塔建于明朝,塔高约15米,是内蒙古现存最大、最完美的喇嘛塔。

小资料

"召"是蒙古语"庙"的意思。在呼和浩特,有伊克召(大召)、席力图召(小召)和乌素图召,以及清真大寺、五塔寺和象征民族团结的昭君墓等名胜。

> 席力图召是什么意思?

昭君出塞

三毛去瞻仰被称为青冢(zhǒng)的昭君墓。王昭君是汉朝美女。那时,匈奴首领向汉元帝求亲。为结束连年战争,使人民生活安宁,昭君毅然抛弃舒适的宫廷生活,远嫁到草原旷漠。

成吉思汗陵

三毛随后来到鄂尔多斯草原，拜谒成吉思汗陵。

陵殿顶铺盖着黄色琉璃瓦，三毛远远望去，犹如金碧辉煌的蒙古帐篷。正殿厅里有一座高5米，戴盔披甲，按剑端坐的成吉思汗塑像。陵后房内放着成吉思汗的镶花银质灵柜，以及他生前用过的弓箭、马鞍和铁矛。

你知道吗？

成吉思汗是蒙古族杰出的军事家、政治家，他统一了蒙古，促进了蒙古社会的发展和进步，为元朝的建立奠定了基础，被尊为一代天骄。

考考你

普通的蒙古包有多少根支柱和支架，有多重？

历史上的匈奴、鲜卑、女真等少数民族都以帐篷为家，称为"穹庐"，蒙古族在北方占据主要地位后，才改称"蒙古包"。

《考考你》答案：整个蒙古包用毛毡覆盖，共有支柱和支架250根，重约250~300千克，1小时内可架好或收起，用2匹骆驼便能运走。

"林海雪原"长白山

　　三毛一行由内蒙古往东,进入吉林,前往长白山自然保护区。素以"林海雪原"著称的长白山区,位于中国和朝鲜的交界处,是朝鲜族和满族文化的发祥地。海拔2700多米的主峰白头山兀立在广阔的平原上,显得非常雄伟。

> 长白山已被联合国列入"人与生物圈"自然保护区,成为温带森林生态系统研究中心。

> 哇!长白山的原始森林真美啊!

小资料

　　长白山自然保护区总面积约2000平方千米,从山顶到山麓能看到春、夏、秋、冬四季景色。这里山水特异,植物生态完整,还生活着东北虎、梅花鹿、紫貂等珍贵动物,是一座天然的自然博物馆。

天池的传说

从前,此地久旱无雨,百姓苦不堪言。一个青年上山找水,在山顶发现一把开山斧。他拿起开山斧猛劈山岩,劈了三年也没劈开。他的精神感动了仙女,下凡来帮他劈开山岩,刨出了一个天池。

你知道吗?

长白山由16座火山组成。近400年来,白头山火山接连喷发了3次,最近一次是在1702年。火山喷发使白头山的锥体堆得更高,岩浆凝固后,火山口凹陷,水积成湖,形成天池。近10年来,人们多次在天池中看到"怪兽",引起国内外科学家来此考察,至今仍未揭开"怪兽"之谜。

黑风口"神水"

在长白山瀑布下游的黑风口,有一片温泉群,常年热气腾腾,云雾弥漫。俏皮狗看到护林人将冷饭盒放在山石裂缝处,一会儿工夫,饭菜竟然冒出了热气。原来,石隙中有热气喷出,俗称"热气炉"。更为奇异的是,温泉中的岩石呈现翠绿、碧蓝、金黄、殷红,五光十色,真是美不胜收。因温泉含硫化氢,能治病,被人誉为"神水"。

瞧,天池水从北面的缺口往外流,形成高达68米的瀑布,成为第二松花江的源头。

别鲁莽(mǎng),这里最热的温泉水温高达82℃哩。

汪汪!我真想马上跳到温泉里洗一洗。

大自然的杰作镜泊湖

三毛离开吉林,到黑龙江省去游览全国重点风景名胜区镜泊湖。路上,红鹦鹉讲了个动人的传说:

从前,深山里住着一位善良的少女,她有一面宝镜,不管哪里发生灾害,只要用宝镜一照,灾害就消除了。王母娘娘十分眼红,派天神下凡来夺取宝镜。少女竭力抗拒,宝镜在争夺中落入老林,化为镜泊湖。

不!它是大自然的杰作。

汪汪!镜泊湖真是宝镜变的吗?

你知道吗?

1万年前,火山喷发出炽热的岩浆,将牡丹江拦腰截断,岩浆冷却后壅(yōng)塞河床,形成镜泊湖,它是中国最大的堰塞湖。它南北长45千米,最宽处为6千米,最深达62米,最浅处仅1米。湖东岸陡壁突立,活像巨大的山水盆景。

吊水楼瀑布

三毛乘船游湖后，从"镜泊山庄"越过一道山梁，来到著名的吊水楼瀑布前。镜泊湖接纳了牡丹江及湖两岸30多条河的流水后，从熔岩堰塞堤处往下飞泻，形成了气势壮观的大瀑布，犹如人间珠帘倒挂、天上银河落地。

> 吊水楼瀑布和贵州黄果树大瀑布、庐山三叠泉瀑布，并称为中国三大著名瀑布。

神奇的地下森林

红鹦鹉带三毛走进神奇的地下隧道。这是火山喷发时，岩浆玩弄把戏，造成的地下熔岩洞。洞内曲折深邃(suì)，熔岩千姿百态，令人叹为观止。虽是盛夏，洞内雪铺水挂，使三毛仿佛进入了冰清玉洁的地府。

沿着熔岩洞走进火山口里，俏皮狗吃惊得大叫起来，展现在眼前的，竟是奇特而茂密的原始地下森林。这里古木参天，鸟语花香，动物出没，风景幽静迷人。

考考你
"地下森林"的确切名称应该叫什么？

> 哇！这里简直就是世外桃源！

> 地下森林是科学考察的理想基地，已被列为国家重点自然保护区。

《考考你》答案：镜泊湖景区共有7处地下森林，它们的确切名称应叫做"火山口森林"。

"盛京故都"沈阳

　　三毛乘飞机一到沈阳,就兴致勃勃地去参观沈阳故宫。它是最早的清皇宫,由努尔哈赤和皇太极两代汗王营造,以其独特的满族风格和历史地位著称于世。

　　三毛走到崇政殿前,皇太极曾在此处理军政要务和接见外国使者。殿后的凤凰楼,则是皇帝计划军政大事和举办宴会的场所。最引人注目的是八角形的大政殿,殿前有10座方亭,叫"十王亭",是左右翼王和八旗大臣办公的地方。

凤凰楼是故宫中最高建筑,"凤楼晓日"是沈阳八景之一。

大政殿是举行大典之处,8条屋脊上各有一个蒙古力士牵着铁链面朝殿顶,寓含着"八方归一"的意思。

小资料

　　沈阳在2000多年前的西汉时还只是侯城县,到唐朝时才成为沈州治。1625年,后金的努尔哈赤迁都于此,称为盛京。清军入关,迁都北京后,这里才改称奉天。

千朵莲花山

游览了沈阳后，红鹦鹉驮着三毛飞到千山。千山又叫千朵莲花山，自古有"无峰不奇，无石不峭，无寺不古"之誉。它从隋唐时期起，已是道教和佛教寺观的集中地，如今它是全国重点风景名胜区。

> 因为山峰奇陡，自古有"仙人台，不是仙人上不来"的说法。

> 汪汪！千山的最高峰为什么叫仙人台？

千山的传说

相传古代有个和尚云游到此，一座座山数过来，只有999座山。他深感遗憾，便将自己也变成一座山，使这里成为名副其实的千山。

> 这是千山最大的佛庙龙泉寺，寺中山泉传说是"龙涎吐水"，寺因此得名。

你知道吗？

1992年4月6日，考察队走在一道陡崖上。突然，队长失足滑下石崖，被一棵古树托住而幸免于难。他抬头一看，意外地发现面前竟是一座由整座山峰形成的巨型弥勒坐佛。经地质专家鉴定，这座自然天成的大佛形成于距今400万年前的古冰川时期。

> 这个身高70米的天然大佛，眉毛和眼睛是由石上的苔藓构成。

> 汪汪！这就是那和尚变的山峰吗？

考考你

千山有处塔林。你知道为什么要造这些石塔吗？

《考考你》答案：这些建于明清时的石塔是埋葬僧人的墓塔。

（七）南部地区

祖国的宝岛台湾

红鹦鹉驮着三毛和俏皮狗展翅飞过台湾海峡，只见台湾像颗宝石镶嵌在万顷碧波中。红鹦鹉说，台湾自古以来就属于中国，古称夷州，明朝始称台湾，它曾多次受外来侵略，1662年郑成功收复台湾。台湾美丽富饶，名胜古迹比比皆是，是旅游胜地。红鹦鹉降落在台北。

这是台北故宫博物院，珍藏着许多中国的珍贵历史文物。

指南宫

小资料

台湾风光和名胜有"八景十二胜"。其中八景是：玉山积雪、阿里云海、双潭秋月、大屯春色、安平夕照、清水断崖、鲁阁幽峡和澎湖渔火。

上帝的杰作

游览台北著名道观指南宫和北投温泉风景区后，三毛来到东北海岸的野柳。这里的岩石造型令人惊叹大自然的鬼斧神工，被称为"出自上帝之手的杰作"。

你知道吗？

野柳的奇岩怪石是由含钙质砂页岩经海水侵蚀和长期风化作用而形成的。

野柳

汪汪！这些奇岩怪石真是上帝制造的吗？

烛台石

日月潭

日月潭是高山湖，北半湖形如圆日，南半湖形似新月，湖畔有许多楼台亭阁。潭西涵碧楼是观赏湖光山色的好地方。潭南玄光寺共奉着唐朝高僧唐三藏的部分遗骨，是佛教圣地。

日月潭的传说

从前，海妖和海怪吞吃了太阳和月亮。一对新婚夫妇挺身而出，历尽艰险夺回日月，自己却化为一潭湖水。人们为了纪念他们，把它称作日月潭。

> 日月潭还有个美丽的传说哩。

> 汪汪！别卖关子了，你快讲吧。

> 阿里山的云海真美啊！

> 汪汪！太阳出来了！

延平君王祠与赤嵌楼

三毛到台南参观延平君王祠(郑成功庙)。庙内大殿有郑成功塑像，庙后庭有一株古梅，相传是郑成功亲手所种。每年农历正月十六都要在此举行祭祀，纪念民族英雄郑成功。随后，红鹦鹉又带三毛他们来到赤嵌楼。当年，郑成功攻下荷兰侵略军占领的赤嵌楼后，以此作指挥部，征讨荷兰侵略军，尽收台湾失地。

"南国花城"广州

只见红鹦鹉金光一闪,变成一只白羊,驮着三毛往广州而去。俏皮狗跑在一旁好奇地问:"汪汪!你为什么要变成羊啊?"红鹦鹉便讲起了五羊的传说:

相传2000多年前,南海有5位仙人,骑着5只口含谷穗的五色羊降临广州,把良种留在人间。仙人离去后,五色羊化为石羊,永留广州。广州也就被称作"羊城"了。

六榕寺

下了越秀山,三毛到广州市内参观著名古刹六榕寺。公元537年,广州刺史为瘗(yì)藏梁武帝母舅从海外带回的佛骨而建造了宝庄严寺。宋朝时,苏轼来游寺,见寺内有6株古榕树,便题了"六榕"两字,此后便改称六榕寺了。

这是六榕寺花塔,高57米,外面看是9级,里面共有17层。

小资料

花塔顶的千佛铜柱上密布着1020余尊浮雕佛像,连同上面的覆钵、九霄盘、宝珠及九根铁链,重达5吨。因为塔形华丽壮观,宛如冲霄花柱,所以称为花塔。

广州除了被称作羊城外,还有穗城、花城的美名。

黄花岗墓园

三毛怀着崇敬的心情来到黄花岗七十二烈士墓。墓园气魄宏伟，墓道旁是苍松翠柏，四周遍种开黄花的花木。开花时，墓园一片金黄色，衬托出烈士傲雪欺霜的精神。方形陵墓后是记功坊，用72块方石砌成金字塔坊顶，每块石头上刻着一位烈士名字。

你知道吗？

1911年4月27日，孙中山领导的同盟会在广州发动武装起义，攻打两广总督府等军政机关。经过一昼夜血战，因寡不敌众而失败，喻培伦等100多位烈士壮烈牺牲。后来收殓尸体时，仅得72具，掩埋在黄花岗。

你知道吗，陵墓正门牌坊上的"浩气长存"四字是孙中山亲笔所题。

光孝寺

三毛在白云山上的明珠楼赏月直至深夜，所以只得在山上住了一夜。天亮下山后，他兴致勃勃地去参观坐落在广州市内的佛教胜地光孝寺。

光孝寺始建于三国时，历代曾有过许多不同的寺名，1151年时才改称光孝寺。唐朝时，高僧慧能在此登坛受戒，开辟了佛教南宗。从此，寺院规模日益壮大，成为岭南佛寺之最。

寺内不仅有大雄宝殿、六祖殿、伽蓝殿、天王殿，还有睡佛阁、瘗发塔及东西铁塔等古迹。

银湖翠峰映肇庆

离广州往西行100多千米,三毛来到了美丽无比的肇(zhào)庆。

肇庆是一座古城,隋唐时叫端州,宋朝起始称肇庆。肇庆城畔的星湖,是著名的国家重点风景区。它包括由7座石灰岩山峰组成的七星岩和面积约6平方千米的星湖,享有"桂林之山,杭州之水"的美誉。

七星岩的传说

传说秦始皇修长城时,令鬼神收集石头。一天,鬼神挥动赶山鞭赶着7块巨石经过肇庆时,忽听鸡叫,就要天亮了。鬼神只能在夜间行动,便扔下巨石和赶山鞭隐身不见了。巨石排列如北斗七星,人称七星岩。插在肇庆江畔的赶山鞭则化作了宝塔。

你听说过七星岩的传说吗?

汪汪!一定又有精彩的故事了吧?

阆风岩

阆(láng)风岩与玉屏岩相对峙,气势十分雄伟。三毛从玉屏岩南麓沿石级而上,经过玉皇殿东侧,登上了阆风岩峰顶。峰顶南面有个无底洞,洞口直径约2米,俏皮狗探头一看,洞深不可测,吓得它连连后退。

小资料

阆风岩西麓有个流霞岛,又叫钟鼓洞。洞中钟乳石下垂如帐幔。其中有一块钟乳石相传是歌仙刘三姐的化身,水满时,洞中滴水叮当作响,像在演奏仙乐。

当心!别掉下去!

石室岩

石室岩高90多米，岩下有个石室洞，洞壁上有270多处古代摩崖石刻。洞口高2米，洞内却非常高阔，洞顶高达30多米，洞中湖水荡漾。三毛乘小船游洞中湖，只见怪石高悬，奇岩倒映，别有情趣。

明朝朱棣夺取侄子惠帝的皇位后，惠帝逃到这里，曾在洞中岩石上宿夜，那岩石因此被称作龙床。

考考你

你知道七星岩的七座山峰分别叫什么名字吗？

《考考你》答案：七座山峰为：阆风岩、玉屏岩、石室岩、天柱岩、蟾蜍岩、仙掌岩和阿坡岩。

鼎湖山

游罢七星岩，三毛来到鼎湖山。鼎湖山海拔1千米，是岭南四大名山之一。红鹦鹉介绍说，山顶有湖，原名顶湖山，因传说黄帝曾在此铸鼎，所以改称鼎湖山。山上有水帘洞等8处瀑布，飞瀑从峡谷倾泻而下，犹如挂在绝壁上的巨大银幕，蔚为奇观。

鼎湖山有1700多种植物，生态多变，更有许多子(jié)遗植物和珍稀植物，被联合国列为国际生物圈保护区。

鼎湖山瀑布

鼎湖山珍稀植物

"琼崖椰岛"
海南岛

三毛搭乘渔民的帆船渡过琼州海峡,登上海南岛。海南省包括海南岛和西沙、中沙、南沙3大群岛,气候炎热,是中国热带作物基地。海南岛的椰风海韵、碧水金沙使它赢得了"东方夏威夷"的美称。

海瑞故里

海南岛是明朝清官海瑞的故乡,三毛在海口市郊拜谒海瑞墓和海瑞祠,突然被一块碑刻吸引住了。红鹦鹉说,这是海瑞为祝贺母亲70寿辰时书写的"寿"字。

考考你
你能看出"寿"字是由哪些隐匿(nì)的字组成的吗?

海南岛的风光真美啊,我真想住在这儿不走了。

这"寿"字,字中有字,不愧为书法艺术中的珍品。

《考考你》答案:其中隐藏着"生母七十"和"春生百年老"等字。

天涯海角

从海口往南，经过林木葱郁的五指山，三毛来到海南岛最南端三亚市的天涯海角。这里是古代的重要关隘，在银色沙滩上有数百块奇石，巨石上刻着"天涯"、"海角"、"南天一柱"、"海阔天空"等字，是景色壮观的游览胜地。

> 这儿大海茫茫，似天涯无边，难怪称为"天涯海角"。

> 汪汪！巨石上的字是260多年前刻的呢。

你知道吗？

三亚市南海滩边有座山岭，很像一头鹿站在海边回头观望，人称"鹿回头"。相传很久以前，五指山有个勇敢勤劳的黎族青年。一天，他去打猎，发现一头金鹿，就穷追不舍，一直追到最南端的海湾。金鹿面对大海无路可逃，猛回头，变成了美丽的少女。两人一见钟情，结为夫妇。从此，这里被称为鹿回头。

> 你们知道这里为什么叫鹿回头吗？

> 这是名贵的海南坡鹿，就是传说中的金鹿，现已濒临灭绝。

> 汪汪！应该叫大家都来保护坡鹿啊！

百年沧桑看澳门

红鹦鹉驮着三毛飞到了珠江口西侧的澳门。三毛知道，澳门历来是中国的领土。1553年，葡萄牙殖民者借口要曝(pù)晒被海水浸湿的货物，强行上岸租用土地。鸦片战争后，澳门被葡萄牙强占。

> 汪汪！澳门真漂亮啊！

> 澳门的街景确实迷人。咱们游览了澳门，再去香港观光吧。

考考你

澳门将在什么时候回归中国？

《考考你》答案：澳门将在1999年12月20日回归中国。

"东方之珠"香港

三毛一行乘游船从澳门来到香港。香港是世界三大金融中心之一，世界黄金贸易中心之一，世界三大集装箱码头之一。人们说，香港的银行比米店还多呢。

明朝时，有一条小溪从小渔村注入大海，形成天然港湾。海上往来的水手们常来这里取甘香的溪水饮用，小溪便被叫做香江。据说，过去这里是转运从广东东莞(guǎn)出产的香料的港口，当地人也以种香料为业，所以被称为香港。

你知道吗？

早在鸦片战争前，英国的鸦片贩子们就鼓动英国政府侵占香港。鸦片战争爆发后，英国逼迫清政府割让香港岛。1841年1月26日，英国战舰驶入香港海湾，海军陆战队蜂拥上岸，用武力占领了香港。

> 这就是昔日的香港总督府。如今，香港已经回归祖国了，但人们永远不会忘记这段屈辱的历史。

> 哇！香港真繁华啊！

> 但在150多年前，这儿还只是个小渔港呢。

腾飞的深圳

三毛游罢香港,来到深圳,它是中国第一个经济特区。邓小平同志制定的改革开放的政策,犹如阵阵春风吹入深圳,使它飞速发展为举世注目的现代化新型城市。如今,京九铁路从北京经过深圳直通香港九龙,更为深圳的腾飞插上了翅膀。

听说,深圳的"锦绣中华"微缩景区别具情趣,三毛兴致勃勃地前去参观。

繁花似锦的深圳是我国改革开放的缩影啊!

汪汪!深圳的巨变真让人振奋!

你可以在此领略历史风云,畅游锦绣河山。

小资料

"锦绣中华"占地约3平方千米,是目前世界上面积最大、内容最丰富的实景微缩景区。景区中近处景点基本上按中国区域版图分布,是中国自然风光与人文历史精粹的缩影。

踏遍青山人未老,看遍祖国爱更深啊!

哈哈,我们都是当代"徐霞客"嘛。

祖国,我爱你

三毛、俏皮狗和红鹦鹉周游了神州大地后,增长了知识,大饱了眼福,中华民族上下五千年的历史仿佛从他们的眼前掠过。三毛为自己是一个炎黄子孙而感到自豪,心胸中油然生起了一股强烈的爱国之情。

三毛由衷地深信,我们的祖先创建了一个伟大的中国,而今天,沉睡了千年的东方雄狮已经醒来,中国人民在党中央的英明领导下,正在创造着新的奇迹。改革开放中奋勇向前的祖国,必将在新世纪雄立于世界强国之林。

今天的锦绣中华,明天将更加辉煌灿烂!

汪汪!我们这次周游锦绣中华,走了有上万千米路了吧?

三毛形象由张乐平先生创造,本书所用三毛形象经上海三毛形象
发展有限公司授权。

三 毛 大 世 界

漫游锦绣中华

责任编辑 徐谷安　　文字编辑 鲍正衷
责任校对 黄　岚　　技术编辑 马东明

少年儿童出版社出版发行	开本 787×1092　1/16
上海延安西路 1538 号	印张 10
邮政编码 200052	1997 年 7 月第 1 版
全国新华书店经销	1999 年 2 月第 8 次印刷
深圳中华商务联合印刷有限公司印刷	印数 126,001－136,000

ISBN7－5324－3311－0/Z·57(儿)　　定价:26.00 元(平装)